PINK

Kyoko
Okazaki

CONTENTS

자, 시작합니다, 시작해요.
그런데 대체 뭐가?

PINK 1 스릴과 서스펜스

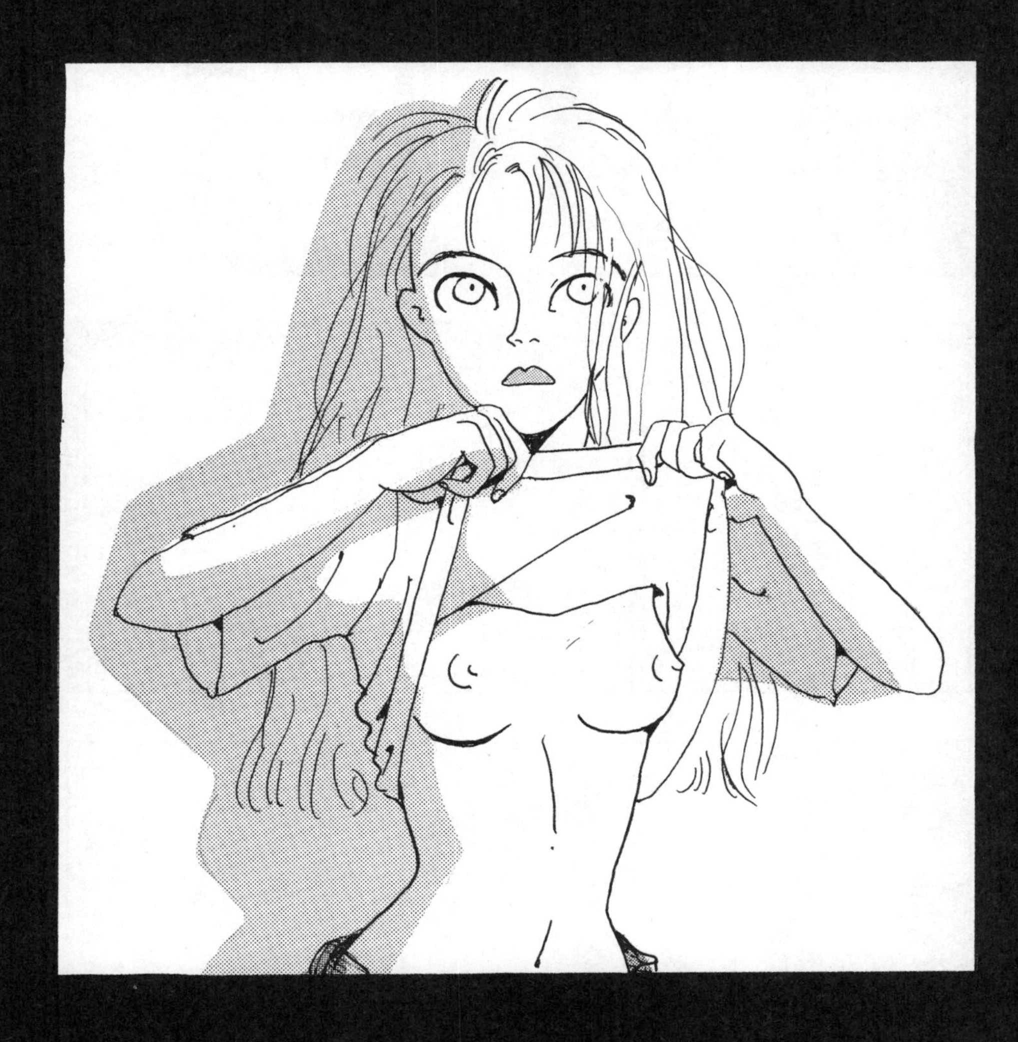

에이.
누가
뭐래도
악어!
악어가
최고야!

그런가?
강아지가
더 좋지.
애교도
부리고
꼬리도
치고~

고양이야,
고양이!
귀도
뾰족하게
서서
귀여워~

역시~

유미도
참~!
지갑이나
벨트 얘기가
아니야.
그래,
반려동물
얘기잖아?

악어가
좋아.
강하고
멋있어.

강아지도
고양이도
한입거리야!
유미,
일이다.

신주쿠
프린스 호텔
1201호실.
아,
네~

다녀오겠
습니다~아

매니저, 재가 하는 소리 진짜예요…?
악어 키운다는 거.

글쎄다~

재가 솔직하게 말하는 걸 본 적이 없어서.
아, 귤 먹으련?

아, 예쁘다.
사야겠어.

핑크 장미 주세요. 스무 송이.
네, 선물용 인가요?
음, 아니요.

손님이 아름다우시니까 다섯 송이는 서비스.
와, 좋아라.

나는
핑크색 물건을
좋아한다.

왠지
행복한
기분을
들게 해서.

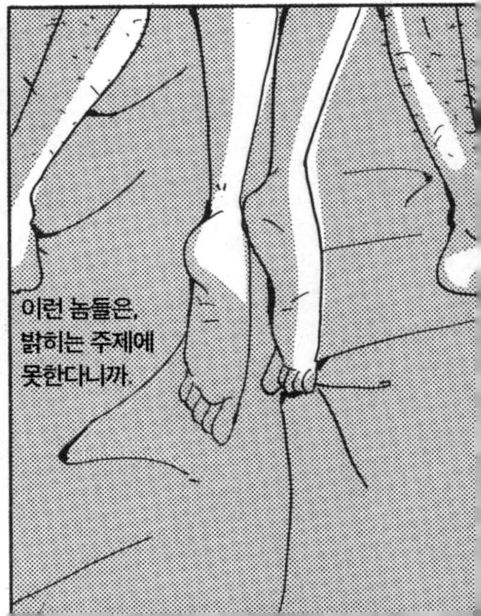

스물두살요.
언제까지 이런 일을 할 참이지?

너, 나이는?

생각해본 적 있어? 네 인생.
정신 안 차리면 끝장이야.

도대체가, 요즘 젊은것들은 치장하고 돈 쓰는 데 말곤 관심이 없지.
한 발 뺀 주제에 누굴 가르치려 들어.
음~ 그런가요오?

결혼할 생각은 있고?
뭐야, 이거. 제정신이야?

STUDIO ARTA

하하하
뭐, 너 같은 애한텐 이런 얘기 무의미하겠지.

아직 전철
다니는
시간이야.
운 좋네!

매니저님
지금
끝났어요.
어? 오늘은
그만 가도
된다고요?

이렇게
전철을 탄
내 모습을 보고
몸 파는 여잘
떠올리는 사람은
없겠지.
묘하네.

주제에
안 맞는
옷차림.

기타
치는
녀석이
12번이나
멍청한
표정.

추녀.
귀걸이
예쁘다.
머라이어
캐리!
꺄-

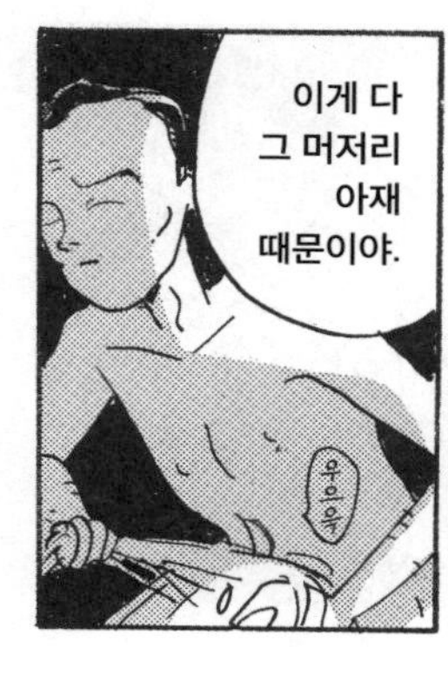

우리 집 악어의
밥이다!! 밥!!
다진 고 기로
만들어주겠어.

대학생쯤
돼 보이는
남자가
도둑질하는
장면.

내가
하는 것도 아닌데
심장이 뛰었어.

남이 나쁜 짓
하는 걸
보면 흥분돼.
우와

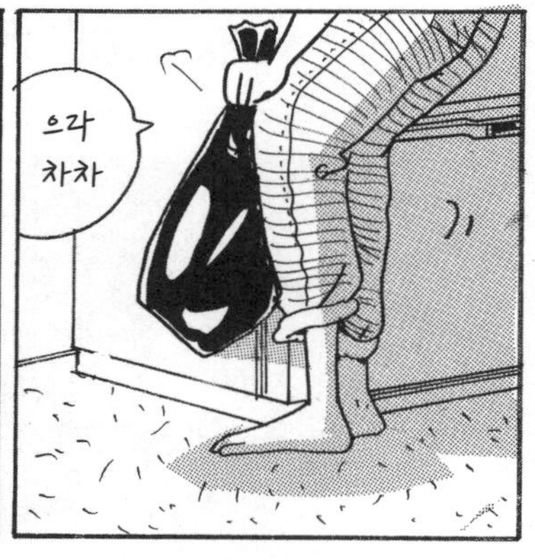

이 당시 악어를 잘 못 그렸다.

괜찮아,
괜찮아.
걱정 마.
…
휴우
너는
나의 스릴과
서스펜스니까.

비누 냄새.
피와 고기 냄새.
샴푸 냄새.
린스 냄새.

싫다아.
내일도
회사 가는
날이네.

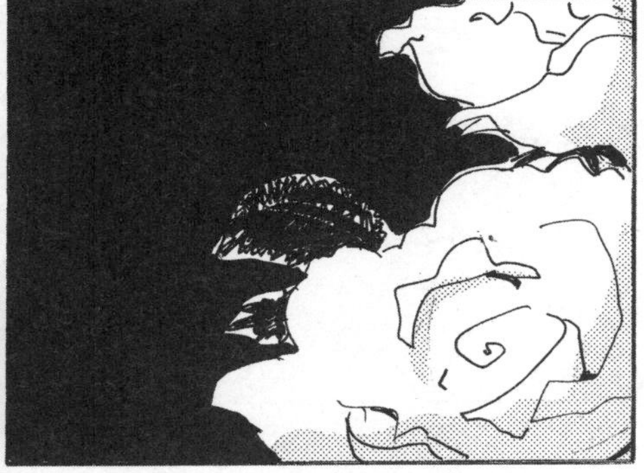

핑크가
정말

좋아.

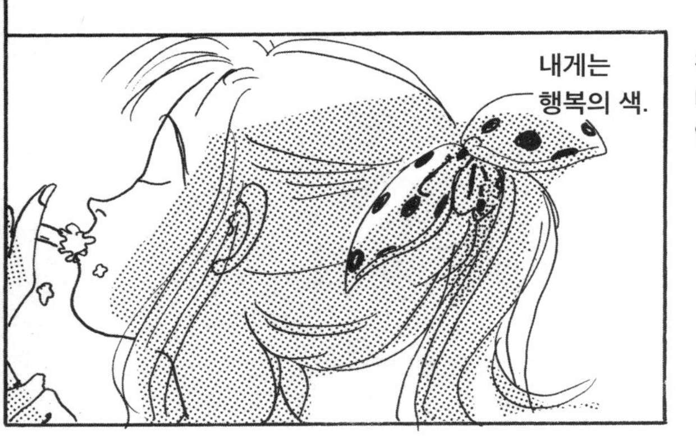

핑크는
다정하고 예뻤던
엄마의 손톱 색.

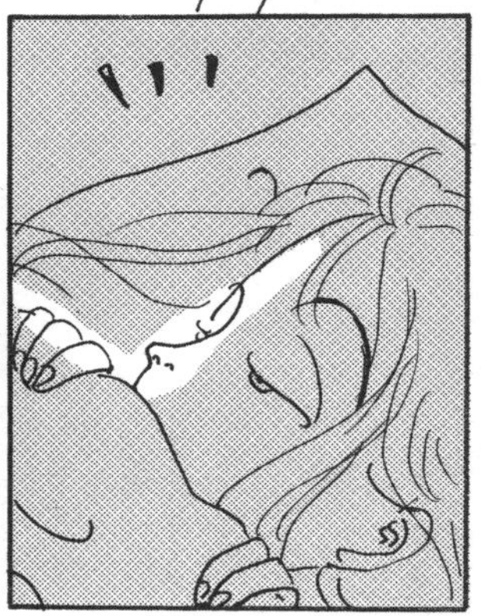

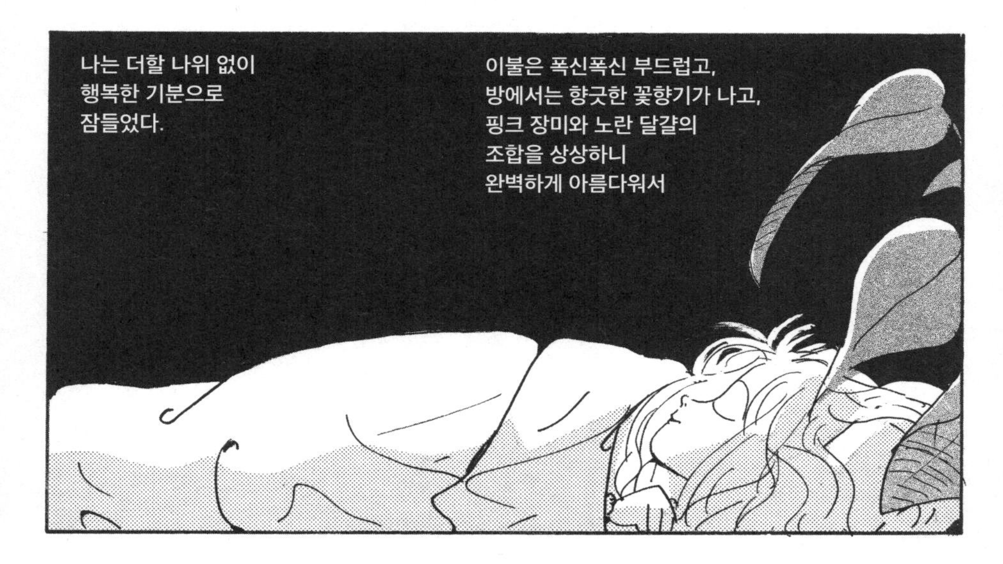

PINK 2 밤, 여동생이 오다

다 같이 색칠해요.

타닥 타닥
타닥 타닥

전표가 도무지 안 맞네.
어쩌지.

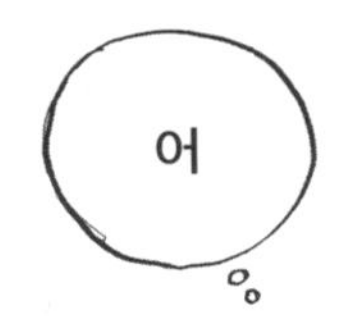
어

납기도 멀었으니까 그냥 집에서 하자.
야근하기 싫은걸.

그 전에

오늘은 그 인간과 만나야만 해.
유미~

우리 놀러 가자.
오늘 노리코랑 다른 애들이랑 놀 건데.
미안, 야마. 오늘 일이 좀 있어.

넌 놀러 가자고 하면 맨날 일 있다더라.
애·인·님 이구나?

꿀꺽 꿀꺽 꿀꺽

땡
부모야,
부모!
아아,
그래,
그래.

의욕
넘치네.
내일
봐~
안녕~
그럼~
오늘도
놀아볼까~
휙
푸하
ㅣ
그럼,
부모를 만나러
가볼까.
그동안
잘 지냈어요?
식사도
잘 챙기고?
하아
ㅣ
부모래도
계모지만.

천박해!
하나도 안 어울려.
가끔은 집에도 좀 오고 그래요.

이 여자,
우리 엄마
기모노를
입었네.

아아 ㅡ
마음에도 없는
소릴 잘도.
하아

유미코 양, 슬슬 결혼해야지?
그럴 나이 됐잖아요?
당신이 무슨
상관인데.
하ㅡ

좋아하는 사람은 있나요? 아버지도 걱정 많으셔.
그러셔.
네.

자, 이제
할 얘기가
다 떨어졌네.
…
…
빨리 집에
가고 싶어
죽겠지?

그럼 건강
챙기고.

한계가 올 때까지
오렌지주스나
쭉쭉 빨고
있겠어.
쪼옥
하지만 나는
심보 고약한 애니까

네. 죄송해요,
매번.
빨리
내놓으라고—
자, 여기 이번 달
월세. 아버지가
주시는 거예요.

저 여자는 아빠의 돈을 노리고
달라붙은 갈보다.

더러워.
더러워.

아빠도 아빠야.
대놓고 음부를
무기로 삼는
저딴 여자한테
홀랑 넘어가기는.

동생이 온다.

한밤중에
택시를 타고 온다.

나 왔어~
베개

뭐 하고
있었어?
전표
정리.

참참,
그보다 악어는?
악어!
악어 줄
선물
가져왔어.

근처 사는
할망구네 푸들이
나를 보고 짖길래
잡아왔어.
바둥 바둥

만화가 같은 차림~

재미있다.
재미있네.

아득 우득
우득 우득
우적 우적 우적

오늘 너희 엄마 만났어.
흐음
어땠어? 또 화장 찐했어?

아, 맞다.

싫다. 천박한 인간은 낯짝이 두꺼워.
내 엄마라 더 싫어.

센스 없지?
응, 최악.

우리 엄마는 말야 …

좋은 사람은 빨리 죽거든.
진짜?
그래서 죽었어.

예쁘고 다정하고 차분하고, 어린애 같은 사람이었어.

맨날 이런 소릴 했어.

여자애는 언제나 바르고 깔끔하고 야무져야 한다고.

맞다, 전표 정리!
그보다 저기…

잘은 모르겠지만.
그게 무슨 뜻인데?

내 말 좀 들어봐.
삑 삑 삑
이거 끝내고 들어줄게.

…
그럼 이것만 들어.

우리 엄마, 요즘 젊은 남자 만나.

뭐~~~

산 거야? 키우는 거야?

사서 키우는 거지.
괜찮아. 일 계속해.

*미국의 프랜차이즈 패밀리레스토랑으로 일본에도 진출했다.

*프리스테이지는 1988년 10월 11일부터 1992년 10월 16일까지 방송된 아사히TV의 심야 방송 〈고다와리 TV PRE★STAGE〉를 말한다.

PINK 3 소년의 야망

어려서는
탐험대 대장이나
곤충박사,
동물원 원장이
되고 싶었다.

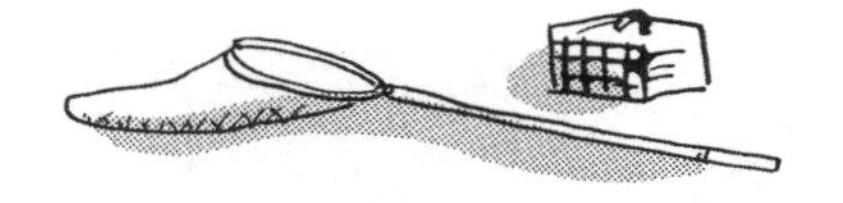

초등학생 때는
초밥 장인과
야구선수와
만화가,

중학생 때는
뮤지션이나
소설가.

지금도
다 되고 싶다.

엄마라.
엄마라고
봐야겠지.
기다렸니?
미쳤냐.
엄마야.
그래?
언제나
충분히
아름다워요.
하! 입 잘 놀리네.
나도.
미안해라.
뭘 입을까
고민
하다가.
젊은 사람이랑
만나니까.
아니,
어머,
얘도.
그나저나
이 여자는
무슨 생각이지.
이 세상에
남편에 애도 있으면서
왜? 우리 엄마가 이런
짓을 한다면 싫다.
통찰력.
이건 통찰력을
기르는
훈련이야.

오오
아아
사람 머릿속은
알 수 없다.
진정한
처녀지는
없을까?
아니라고
생각해.
본인의 뇌만큼은
침범받지 않는다.
으라
차차
그래서
이런 짓을
하는 건
아니지만.
옆방은
즐기는 중이구나.
아아
앙
오오
오오
오오
오오
아아
안 돼
바보
응~ 아앙~
젊은 사람은
피부가 곱네.

우웁우우우

이제
밧줄을
풀어주마.

푸하~
고생했어,
고생했어.

정말
괜찮아요?
아무것도
안 해도.

그럼, 그럼.
괜찮아, 괜찮아.
사진은
절대 남한테
보여주지
않으마.

나도 남에게
들키면 안 될
처지라서.
이야,
분명 좋은
사진이
찍혔을
거야.
히익,
소리가

나는 회사에
돌아가서 또
일해야 한단다.

아가씨도
사회의 풍파에
지지 말고 힘내.

으앗~!!
20만 엔이나
들어 있어!!
대박!!

이렇게 멋진 호텔에서 밧줄에 묶여 SM을 당하면 어쩌나
살해당하면 어쩌나 걱정했는데

묶어놓고 사진만 찍고 끝나서
다행이었고, 괜찮은 사람이었어.
으응~
좀 더 절박한 표정으로!!
의상은 전부 → 아저씨가 가지고 왔다.

신이시여, 감사해요.

어?

어ㅡ!!
그 여자잖아!!
왜 이런 곳에서
남자랑 만나는 건데ㅡ?
저
남자애.
저번에
서점에서 본
애 아냐?
그렇다면
저 여자의
제비라는
소리?

저 차 뒤를 쫓아가주세요.
예, 그럽죠.

아가씨, 흥신소 사람인가요?
이래 보여도 사복형사예요.

그럼 저들은…
범죄자죠.
아, 흔적 남았네.

헉— 사실입니까?
사실이에요.

세상에 무슨 일이 생길지 모르는 법이네요.
정말요.

그래.
이 세상에선
무슨 일이든
벌어진다.

그 여자의
약점을
붙잡을 테다!!
재미있어!!
이런 일도
있네?

스릴과
서스펜스야.
그래도
대단해.
대단해.
대단해.

여자는
내렸습
니다.
계속
가요.

손님.
대단해!
이렇게 즐거울
줄이야.

그런데 어떤
사건이죠?
말하자면
취업 비리
의혹이에요.

거짓말쟁이

게이코는
자고 있으
려나?
내가 태어나고
자란 집.

여긴가.
엄청 낡았네.

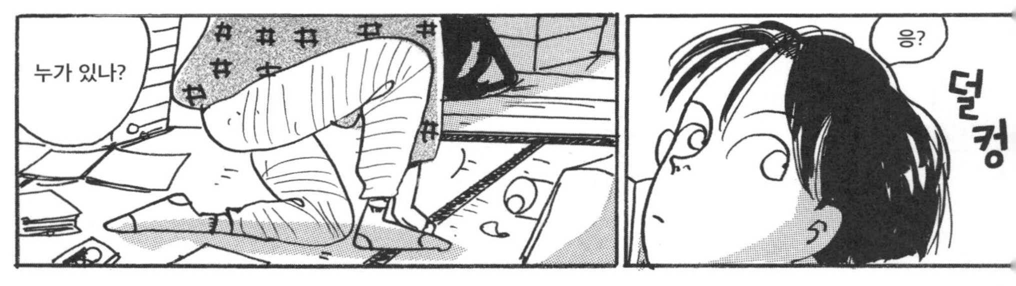
누가 있나?
응?
덜컹

벌컥!!
꺄--!!
아파!!
뭐야? 누구야? 신문 구독 권유냐.
지끈 지끈
아파라아.
난 당신 애인의 딸이야.

그냥이라니
뭐야,
그게.
오늘은
그냥.
뭐 하러
온 건데?

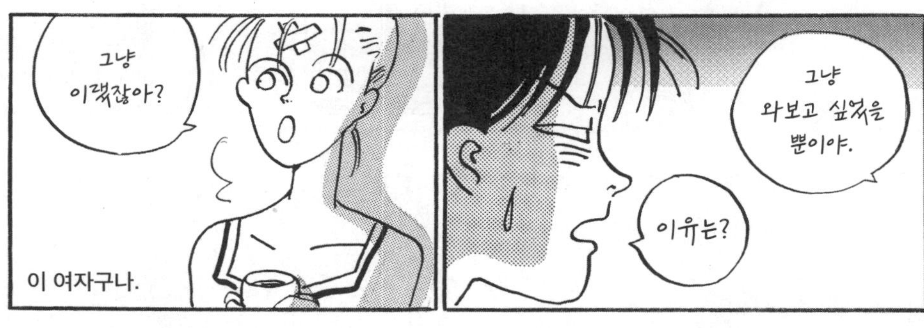
그냥
이랬잖아?
이 여자구나.
그냥
와보고 싶었을
뿐이야.
이유는?

뭔데?
나는 이제껏
책이라곤 딱
5권 읽었어.
그 아줌마가
이러지도 저러지도 못해
버겁다던 딸이.
근데
책이 진짜
많다——
《빨간 머리 앤》,
《작은 아씨들》,
《이상한 나라의 앨리스》,
《소공녀》,
《알프스의 소녀 하이디》
후후
…

운 나쁘게도 나는
이 이러지도
저러지도 못하는
기묘한 동물에게
흥미를 갖고 말았다.

PINK 4 알몸으로 점심

왜?
그런 걸 왜?
이유가 뭐야?

…
다들 이유를
묻더라.
상관은
없는데
~
한 다음에
물어보면
흥이 깨져—
나는
안 했거든.
그렇지,
미안.
듣고 싶어?
듣고 싶어.
듣고 싶어.
듣고 싶어!

나는
호기심 왕성한
남자란 말이야.
응!
그럼

얘기하려면
술의 힘이
필요해.

…그럼
질문
5번.
"왜 매춘부가
되었는가?"
음~
어느 날 밤에
신이 베개 옆에
서 있었어.
신의 계시가
있었거든.
그럼
질문 6번.
"언제부터
매춘을
시작했는가?"
…
…라고.
"가거라.
항구에 나가
모두에게 몸을
바치고
돈을 벌어라."
그리고
말했어.
이상해
상대는
선생님이었지,
담임이었어.
선생님
초등학교
6학년
때야.
거짓말!!

*1949년에 데뷔해 대대적인 인기를 얻은 엔카 가수이자 배우.

좋았어. 이걸 그 녀석 먹이로 들고 가자~
맞다, 있잖아, 있잖아, 있잖아! 우리 집에 악어! 악어 있다!!
왜 여기 개구리가 있는 거야—?
꺄꺄— 나 개구리 좋아해!!
이쯤 이야!!
와아~ 먹었어!!
악어가 좋아하 겠다!!
응?
여긴 어디지?

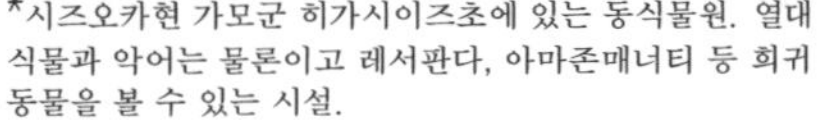
*시즈오카현 가모군 히가시이즈초에 있는 동식물원. 열대 식물과 악어는 물론이고 레서판다, 아마존매너티 등 희귀 동물을 볼 수 있는 시설.

*톤네루즈: 일본의 개그 콤비.

됐으니까 악어한테 점심 좀 먹여.
싫어, 당장 여기서 나갈 거야!!
이게 ~~~~ !!
발끈
자, 자, 자. 진정하라니까. 미래의 문호께서 뭘 당황 하실까?
불가능 하지롱~
냉장고에 있는 고기 챙겨줘. 아니면 네가 점심밥이 될래?
뭐!!
밖에서 문을 잠가 놨거든.

원장이 되려면 사육사부터 해야지.
힘내, 미래의 문호님.
와오

너는 비밀이 너무 많아.
비밀이야~
남자지?
구내식당
꺄— 유미, 전화가 기네—
에헤헤
아직 1시까지 15분 남았잖아.
그보다 도토루에 가서 커피 마시자.

이번에 시마다에서 옷 사려고.
나는 카페 라테.
살쪄, 살!
DOUTOR COFFEE SHOP
나는 자몽주스 마실래—
간식으로 시나몬롤 어때~

그나저나 그 녀석, 악어한테 먹이 제대로 줬을까~
나는 물고기 무늬 손수건 사고 싶어.
점심 뒤의 도토루는 행복의 맛이야.
부러워~

우적
우드드득
…
우적 우적
이러지도
저러지도
못할 여자네!!
정말로
어쩌다
이런
신세가.
반드시
갚아줄 테다.
악!
움직였어!
무서워, 무서워,
무섭다고!

저기요!
이 녀석 좀
어떻게
해주세요!!
누가
왔다!
왜 여기
개구리가
있지?
그쪽이야
말로?
뭐야?
당신
누구야?
아니, 나는
네 언니
남친인데.
역시 어린애의
감은 동물적이네.
거짓말!!
맞지!!!
알았다!!
너 엄마
애인이지!!

말해두겠는데!!
남창 너 때문에 엄마가
자꾸 집을 비우는 바람에
아빠 머리가
홀라당 벗어졌다고!!
말발이
대단한
꼬맹이네.
이 녀석이구나.
아,
미치고
팔짝
뛰겠네!!
쿵
쿵
쿵쿵
아줌마가 말했던
다혈질에 버릇
없는 먹보 딸내미.

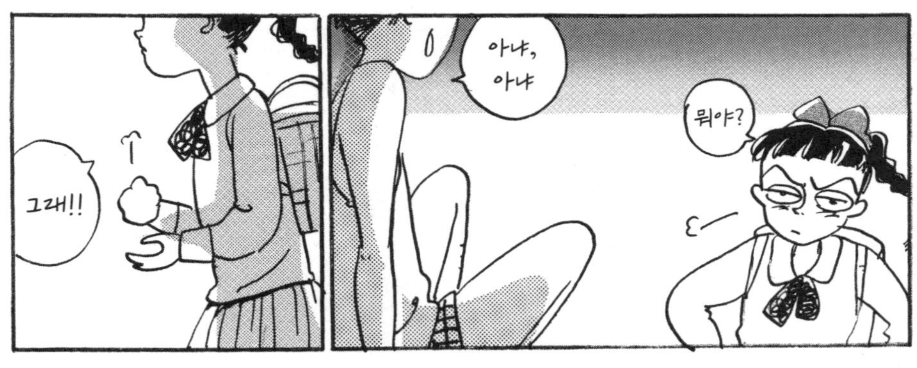
아냐,
아냐
뭐야?
그래!!

악어!!
이 녀석을
먹어치워!!
YES
LADY

PINK 5 소설가의 우울

가랏!!
악어!!
히익

우악~~!!
어?

잠깐만! 너희 뭐 하는 거야!!
우갸

흑

언니, 언니. 저 자식!! 먹어치우라고 해!! 악어한테!!

소곤 소곤
비밀얘기

재미있으면 용서해줄 거고 재미없으면 먹이야! 먹이!
그럼 재미있는 얘기 지어내봐.

어이, 너 소설가 지망생이라고?

악어야!!
안 돼!! 소설이란 그런 게 아니…
지금? 지금 당장?
그래.
우리 엄마가 최소한 재능 있는 소설가의 후원자인 거라면 용서해줄 수 있어.

문호세트가 왜 있지

머릿속이 그야말로
새하�게 물들었다.
(하얀 찰떡아이스처럼.)

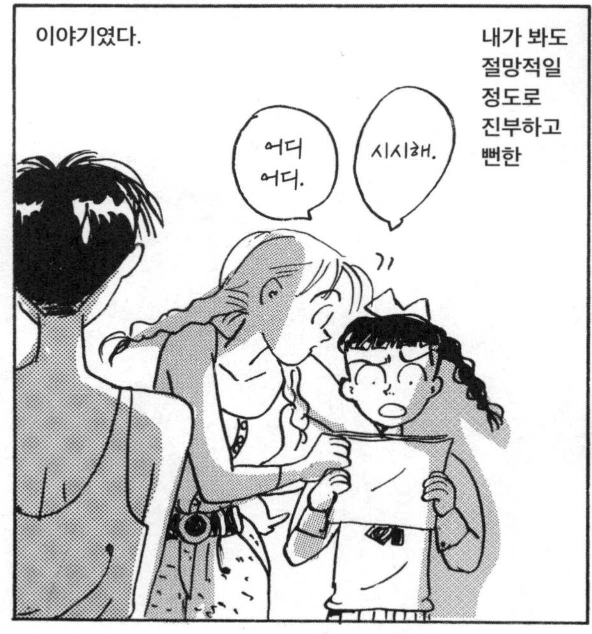

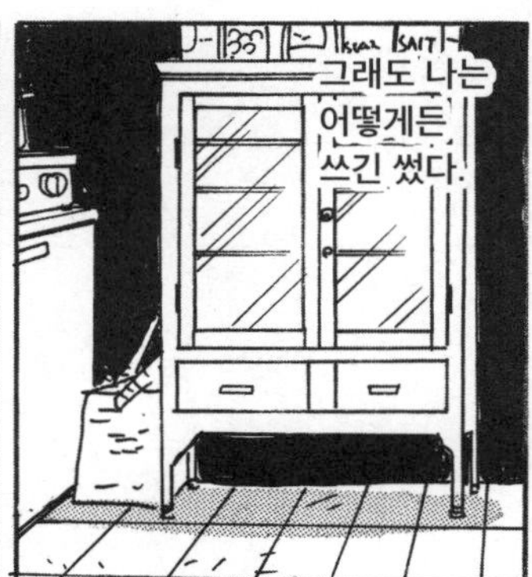

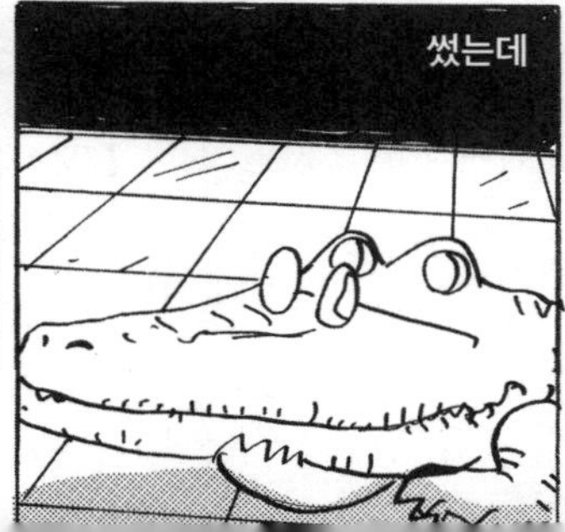

*마쓰다 세이코: 1980년대 일본의 아이돌로 최근까지도 활동 중이다. 염문이 끊이지 않았는데 미국 진출을 꾀했던 1990년대에 뉴욕 백댄서와도 열애설이 있었다.

**나카모리 아키나: 마쓰다 세이코와 함께 일본 가요계를 장악한 아이돌. <긴자 캉캉 아가씨>를 불렀다.

***이카리야 초스케: 일본의 코미디언이자 배우, 뮤지션.

제기랄
제기랄
제기랄
멍청하고
음란하고
무지몽매한!
저~
능~
너들이 뭘
알겠어!!
시간
낭비나
하는
바보들!
이게
발끈
나의! 나의!
나의!
나의?
뭔데?
젠장!
꺄
/
우당 탕탕
쿵
꼴좋다
콰당
뭐지?
나 무슨 소릴
하는 거야?
머리가
빙빙 돌아.
눈을 감자
만화 <울트라맨Q>의
오프닝처럼
시야가 어지러운 것은
열이 있다는 증거.

아, 오늘
생리학 수업,
구로다가
대리출석 해줬을까?

“시시하도다,
시시하도다,
시시하도다.”가
어느 소설에
나오는 구절이더라.

같은 과의
야마나카는
열이 나면
모아이 석상이
보인다고 했지.

자료없음

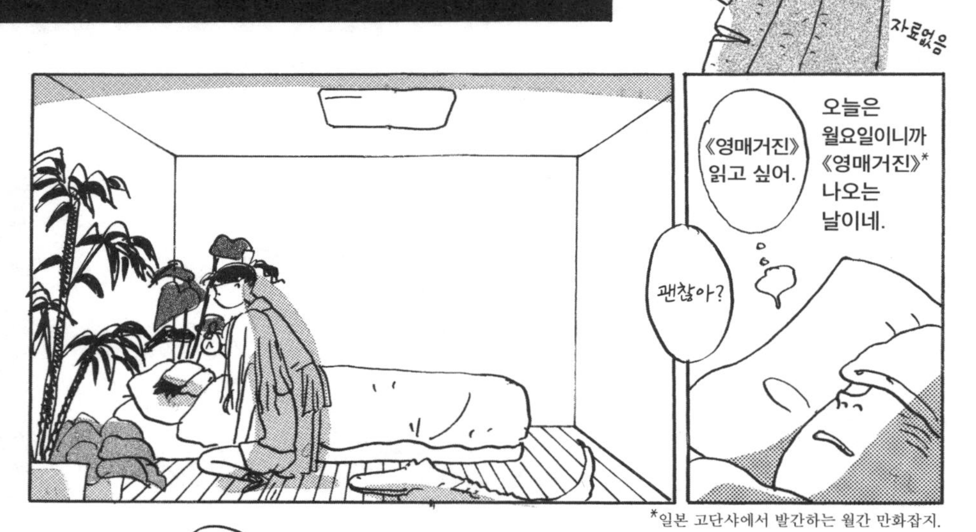

*일본 고단샤에서 발간하는 월간 만화잡지.

감기
걸렸을
때는 그게
최고야!!
흑
복숭아
통조림!!

위에
뭘 좀
넣어야 해.
아,
그러네.

감기 걸렸을 때
엄마가 그걸
먹여주면
한방에 낫더라!

그거
있어?
없어.
그럼
사 올게.

편의점
에서
팔겠지?
아

근데

《영매거진》도
부탁해.

…
좋은 점도
분명히
있을 거야.
그럭저럭
글씨도 예뻤고,
우리가 몰라서
그렇지

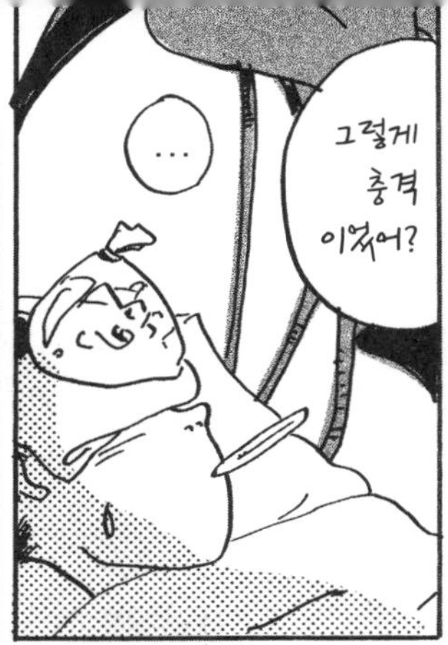
…
그렇게
충격
이었어?

나부터도
재미없으니까.

…아니.
누가 봐도
시시해.

그래서
끼적여
보면
쓰고 싶은 것도 없는 주제에
머릿속에서 토막들이
바스락바스락
소리를 내.

늘 그래.

엉망진창,
볼품없는 헛소리에
농담일 뿐이야.

그럼 소설가를 그만두고 만화가가 되지?
…
나 그림 성적은 최악이었어.
뭐, 그래도
세상에는 멋진 헛소리나 농담도 있잖아.
그런 걸 쓰면 되지 않을까?

응?
갑자기 밤 같다

다녀왔어~
응-
히히- 잔뜩 샀어.
복숭아 통조림이랑 프티푸딩이랑 팥도넛, 주먹밥, 초코파이.
그리고 맥비티의 다이제스티브 쿠키!
메이지 백도
그리코 푸딩
Milk Chocolate
연어
명란

이
쿠키에

피넛버터를
바르고
SKIPPY
SUPER CHUNK
Peanut
Butter

바나나를
얇게 썰어서
얹으면
최고야~
아~앙
맞아.

악어도
좋아
한다?
맞아.

우린
이걸로
행복해져.
맞아.

차가운 복숭아 통조림을 먹으니
목이 싸늘했다.
열 때문일까, 약 때문일까.
문득 이 방에서
인생을 낭비해도 좋겠다는
기분이 되었다.
아~앙
우물우물

PINK 6

HAPPY SEED?

하루오
~
무슨 일 있어? 학교에 코빼기도 안 비치고.
아~ 감기 걸렸거든
너도 참, 연락을 전혀 안 하니.
아하하하
됐고, 오늘 오후에 시간 있어?
〈다이하드〉 보러 가자.
아, 미안.

아르바이트 가야 해.
이건 거짓말이지만
예정이 있는 건 진짜다.
그럼 됐어. 도시락 싸 왔는데
같이 먹자.

*프랑스의 소설가 루이페르디낭 셀린.
**일본의 소설가 시마오 미호.

소설가는
누구든지
될 수 있다.

이 세계에서
유일무이한
전속 독자를
기다리게 하다니
미쳤어?
미안~
미안~
늦었잖아―
독자가
한 명이라도
있으면.
그보다 오늘은
어떤 얘기야?
흥,
뭐 됐어.
놀랍게도
나는 어느새
소설가가
되어 있다.
이거.
어디.
뭐야
이게?
…
그래?
재미
없어―
우―!!
…

좀 더
허를 찌르는
의외성을
기다린다고,
독자는!!
이게.
…

공주님도 왕자님도
드레스도 과자도 다
나오는 대서사시를
쓴 건데.
어리
석긴.

이런 걸 두고
독자한테
아첨한다고
하는 거야.

전속 독자
제2호인
언니는?
응,
일하러.

한자가
줄어들었으니
조금은
나아졌네.
브이

그래도
뭐.

…
그쪽
이라.
후룩

일이라면
그쪽?
응,
그쪽.

어때요?
좋으세요?

이제 안 되겠다. 내 아랫도리는.
어머, 안 된다고 생각하지 마요.
해보지 않으면 모르는 것도 있어요.
아아, 무척 좋지만 안 되겠어.
“모든 것은
사랑과 노력에 달렸다”라고 《핀업 베이비》의 세이코도 말했으니까.
알았죠?
으음
핀업 베이비
다카구치 사토

이제 됐어.
아가씨.
이미 충분해.

이제 됐다.

고맙구나.

젊은 아가씨의 맨몸을 보는 것만으로도 감사할 따름이야.
하지만 …

하지만
아무리 노력해도 돌아오지 않는 것이 있단다.

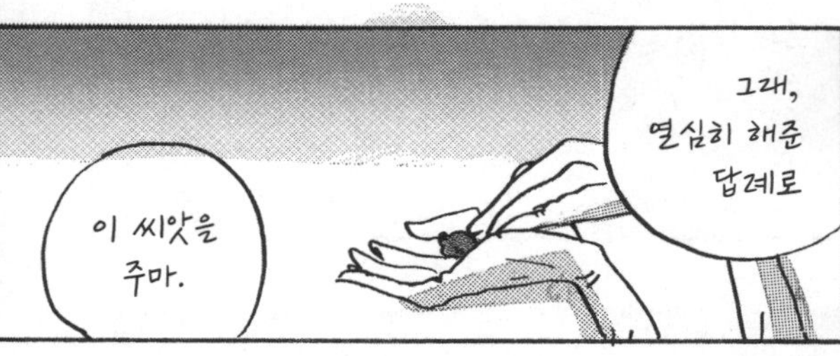
그래, 열심히 해준 답례로
이 씨앗을 주마.

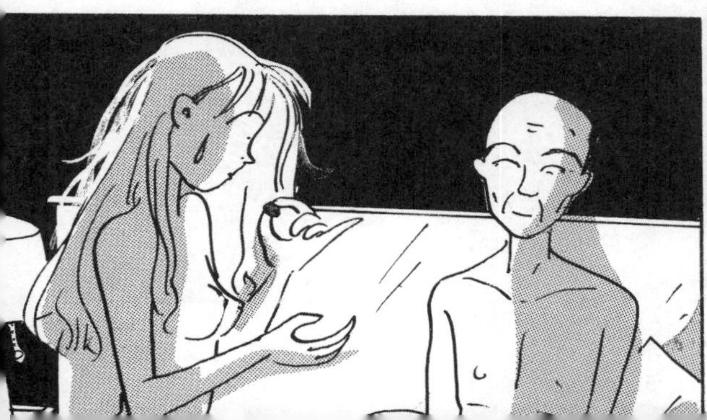

아저씨한테 한 번 더 주고 싶어요.
괜찮다니까.

이게 뭐예요?
그 꽃이 핀 순간 소원을 말하면 전부 이루어진단다.
오오, 시간이 됐군. 슬슬 가야겠어.
그럼 저 샤워하고 나올게요.
신비로운 꽃이라.
쏴
진짜 일까?
쏴아—

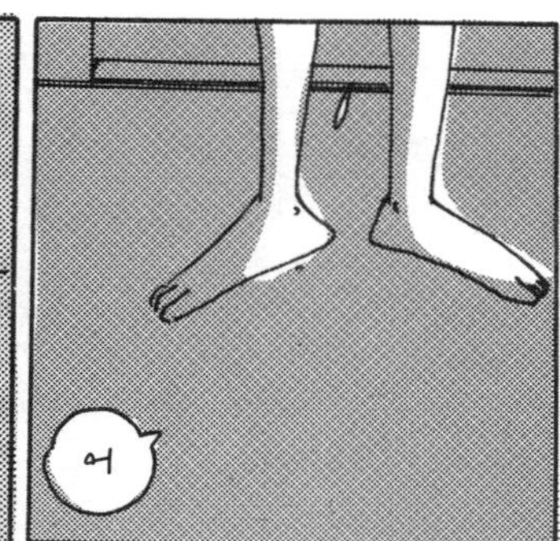
어

당했다
…

당신의 지갑과 물건을 전부 가져갑니다

흠, 진짜로 소원이 이루어지면 이득이지?
그래. 재미있잖아?

심하다~
이런 쭈글쭈글한 매실 씨앗 하나?

그래서
옷이랑 가방, 신발, 5만 엔이 든 지갑까지 전부 빼앗겼다고?
내가 좋아하는 키티 손수건까지.

심어봐도 돼?
그럼.

…
누구 씨의 소설보다 훨씬 더.

컵스타 라면

POM!
피겠어,
피겠어!!
꿈틀꿈틀
소원,
소원.
훌륭하고
위대한 소설가가
되게 해주세요-!!
아
…
시들었다.
어어,
어어
순식간
이네.
그런데
너희도 소원
잘 빌었어?
물론이지!!
뭐라고
빌었는데?
비·이·밀
쿡
쿡

일찍 일어나려면.
그만 잘까.

소원은 이루어질 때까지 비밀로 해둬야지.
맞아!

그러나
순식간에 핀 꽃향기가

너희 둘, 가끔은 본인들 집으로 좀 가시지.
…
…

강렬한 나머지 세 사람 모두
좀처럼 잠들지 못했다.

…
그건 그렇고

PiNK 7 여대생은 미행한다

♫ 헤어진 그 사람과 만나~~~
꺄! 야마카와 부장님 최고!
다음은!! 유미의 <섹시한 울보 아가씨>
갑니다아!!
♫ 섹시한 울보 아가씨♡
좋아, 좋아~
유미, 잘 부르네~
꺄~ 꺄~
그나저나 유미가 2차 회식까지 웬일이야?
응, 반려동물을 맡기고 나왔거든.

에취

알았다!!
남자지~!
꺄하하
설마~

반려동물
뭐? 강아지?
고양이?
땡~

어?
불이
켜져 있네.

누가
내 얘기를
하나.

학교도 안 오고 그게
아무리 전화해도
안 받으니까~

뭐, 뭐,
뭐야.

하~이
어서
오세요.

열쇠
어딨는지
아니까
들어왔지.

…
아,
청소랑 세탁
다 해놨어.

밥도
했으니까
먹어♡

…
맛있어?
나
파스타는
자신 있어.

그럼
난
가볼게.
왜 여자는
귀여움의 탈을 쓴
폭력을 함부로
행사할까?

어딜?
아르
바이트.
오늘은
갈아입을
옷을 가지러
온 거야.

이렇게
늦었
는데?
응.

밥 잘 먹었어. 잘 가.
나는 버스 타야 해.

…

안 돼, 안 돼. 저리 가.
기다렸지~

룰루루루

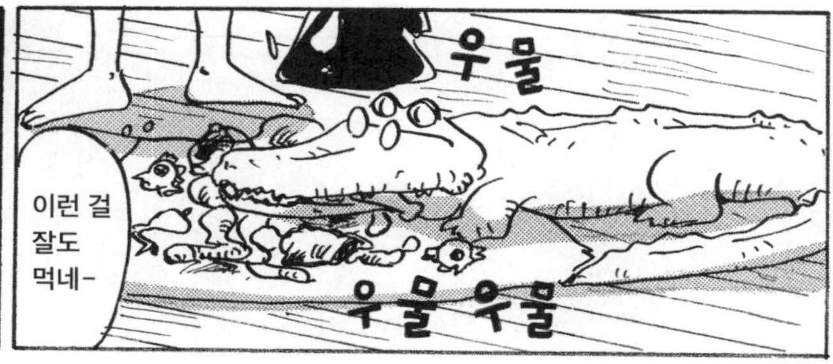
우물
이런 걸 잘도 먹네-
우물 우물

이 방의 공기도
이상한 형태다.
동물은 형태가 참 신기해~
으득 으득
습도와 온도와 냄새가 불가사의하다.
차분하면서 불안하면서 그리우면서
딩동~!
어?
퇴근한 건가?
일찍 왔네~
거짓말쟁이!
찰칵
뭐가 아르바이트야. 여기 여자 집이잖아!!
열어줘!!
비틀

얼른!!
잠깐 기다려. 잠깐만.
질질
잠깐, 잠깐, 잠깐.
쾅 쾅
들여 보내줘, 멍청아!!

나는 뭐 상관 없어.

…

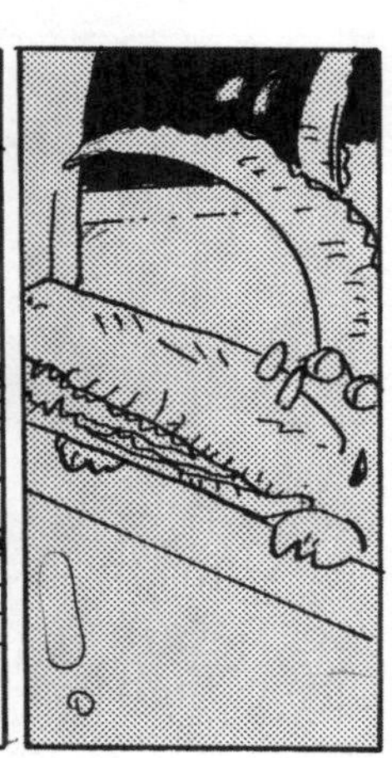

왠지 좀…
집은 되게 좋은데 독특한 냄새가 난다.

하지만 거짓말은 용납 못 해.
나랑 너랑 사귀는 사이도 아니고.

여기 여자 집이지?

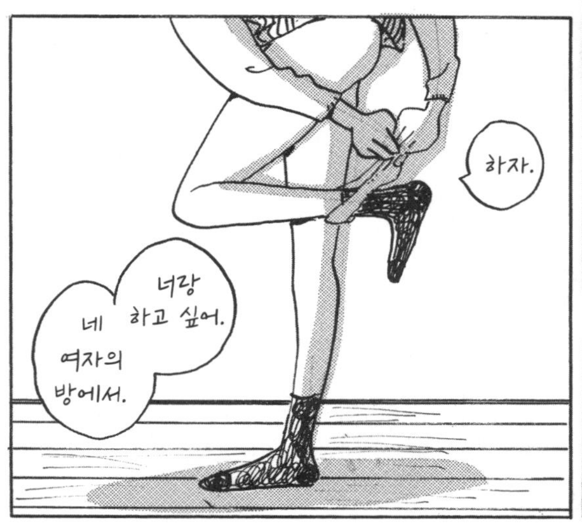
하자.
너랑 하고 싶어.
네 여자의 방에서.

욕하려고 온 건 아니야.

택시 안 잡히네—

아니, 누가 내 얘기 하나?
유미, 괜찮아? 감기야?

에취

아, 별이 예쁘다.

지금 딱 그럴 시간이야.
그러게.

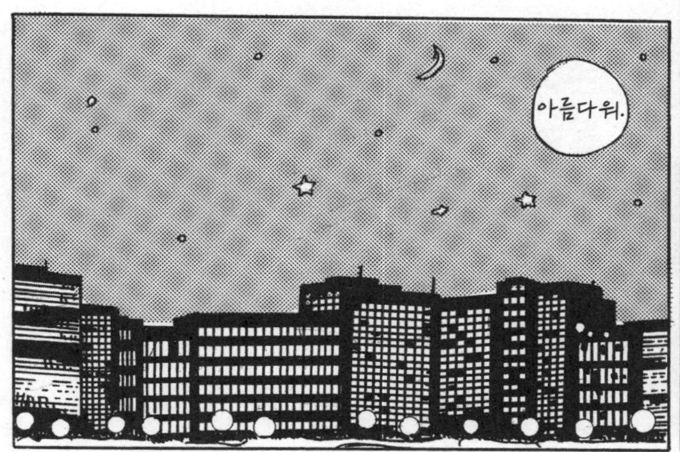

*<쇼텐>이라는 일본의 장수 프로그램에서 만담가들이 질문에 재치 있게 대답하면 방석을 주고 재미없으면 빼앗는 예능 코너에서 가져온 표현.

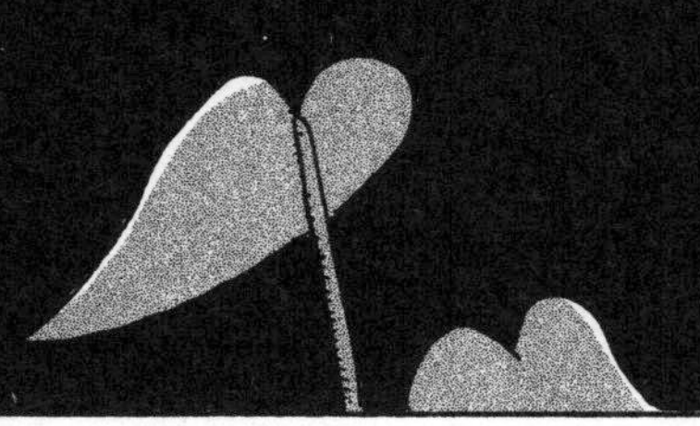
지구에도.
언제나
숨이 답답한 건
산소가 부족하기
때문에.

아,
나 소변.
응,
다녀와.
이 방에도.
응?
아, 아,
아…
아악
꺄악~
어~!!
자, 자,
잠깐.

싫어,
나 실신하겠어.
이런 건
용납 못 해!!
실신
3초 전.
이, 이, 이,
이게 뭐야!!
3,
2
1
개구리 같다
미안해,
악어.
뭘 하든
자의식 과잉인
녀석이네.
이!
우당탕
실신
한다.

놀란 건
너일 텐데.
놀란 건
이쪽이야.

이 여자,
악어 봤어?
아아~
어쩌다
보니.

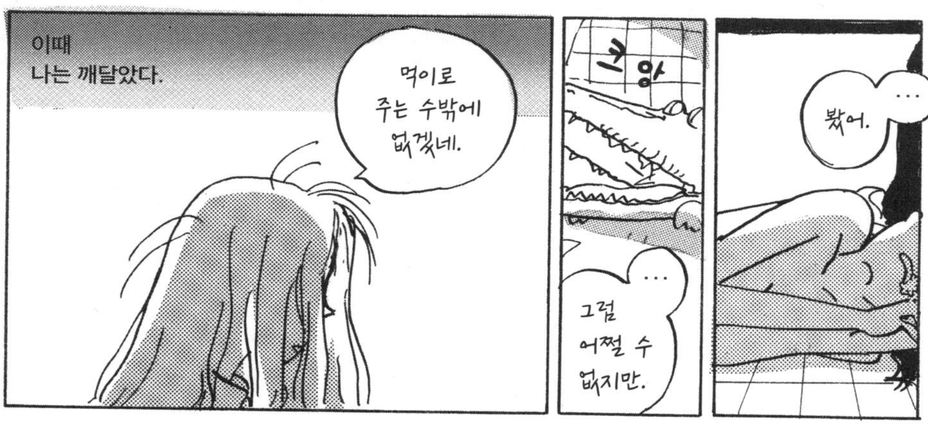
이때
나는 깨달았다.
먹이로
주는 수박에
없겠네.
크앙
…
그럼
어쩔 수
없지만.
…
봤어.

내가
이 방의 산소 체계를
무너뜨렸다는 것을.
불만
있어?

PINK 8 무심한 그녀는 매니큐어를 바른다

열──받아
돌겠네!!!
FUCK Off!!
내 방.
열심히 일해서 간신히 일군 사랑스러운 방에
짜증 난다고.
미안.
멋대로 이딴 여잘 끌어들여서 섹스나 하고 말이야.
···그래도 역시
얘를 먹이로 줄 필요는···
필요?
그럼 뭐가 필요한데!? 선물 들려서 돌려보내면 돼?

이 여자를
방에서
없애거나
이 여자
머릿속에서
이 방을
없애!!
어쨌든

어떻게?
어떨
게에?

…
나 이 여자
싫어.

자신만만하고
거만한 얼굴이
재수없어.

싫은 사람한테
소중한 보물을 들키긴
죽어도 싫어.
당연
하잖아?

네가 저지른
짓이니까 직접
생각하시지?
그, 그래도
어떻게?
어떻게
에?
그리고 너
소설가
라며.
나 같은 것보다
훨씬
혜안이
있을 거 아냐.
이것뿐
이야!!
아~앙
이 여자를
악어
먹이로
준다!!
내
아이
되어는

아~
미치겠네
초등학생하고
싸우는 기분이다.
…알았어.
하지만…
질
질

실패했을 때는
무슨 수를 써서든
너희를 악어 뱃속으로
사라지게 할 거야!
간단하지.
하지만
실패했을
때는?
실패했을
때애?
질
질
질
질
…해볼게.
그 동생에 그 언니구나.

그럼.
어떤 수를
쓸지 기대할게.
미래의 문호님.

따지고 보면

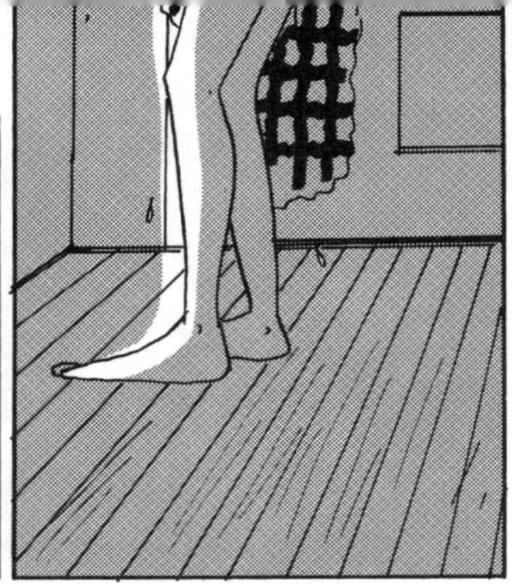

이런 곳에서
너를 키우는
내가 나쁘지만.
원래 정글에서
느긋하게
살아야 하는데.

엄마가
언제나 말했지.
자기가
저지른 일의
책임은
자기에게
돌아온다고.

엄마, 유미코는
나쁜 애예요.
혼을 내줘요.
부탁이에요.
엄마.
꼬르륵
…
화를 냈더니
배가 고프네.
주인님
야해.
간장이랑
설탕을 넣고
달걀부침이나
해 먹자.
달걀의
노랑은
예뻐.

잘 먹겠
습니다.

우물

음!
맛있어.

좋아!! 좋아!!
기운이
막 샘솟아!!
잔뜩
만들었으니까
너도 먹으렴.

자
악앙

그래.
식물을
늘리자.

내가,
내 아이디어에
푹 빠져서
꽤
괜찮지?
그치?
브라보
이 방을
정글처럼
만드는
거야.
으음.
굿
아이
디어
!!

하루오는
어땠는가 하면.

즐겁게
매니큐어를 바르기
시작했을 무렵.

설마 내가
서스펜스 영화
같은 짓을
할 줄이야.

꾸욱~

알코올이라고 그린 것

어쩌다 보니
저지르고 있을 뿐.

그런데 결국
꿈 말고는 떠오르는 게 없네.
나는 재능이 없나 봐.
우울하다.

나, 그 여자 때문에 인생이 엉망진창이 될 것만 같아.

취!

누가 내 얘기를 하나?
?

와아~ 깔끔하게 칠해졌다!!
완벽해!!

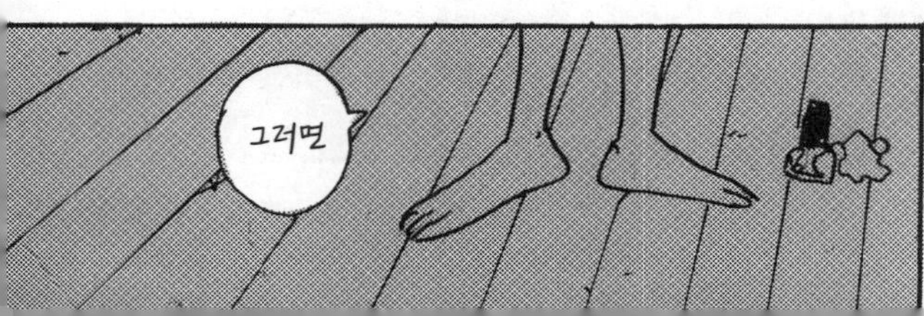
그러면

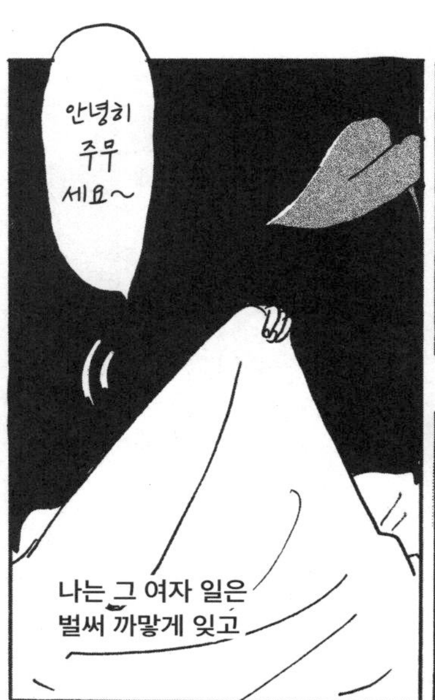
안녕히
주무
세요~
나는 그 여자 일은
벌써 까맣게 잊고

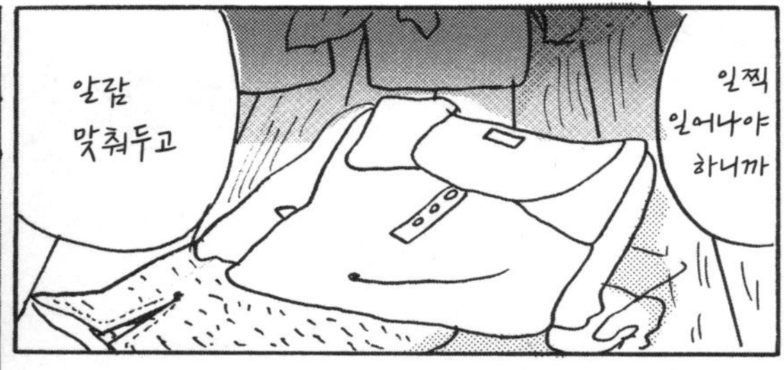
알람
맞춰두고
일찍
일어나야
하니까

옷도
골라두고~
끼긱
끼긱

식물을 어디에서 살까,
이런 생각으로
머리가 가득 차

내일 아침에
입술을 사막으로
만들 뻔했다.
큰일날
뻔했네.

아, 입술에
립밤 바르는
거 잊었다.

PINK 9 실내 열대의 홍수

따르릉
여호세오.
쿠울-
여호
세오~
지끈
지끈
지끈
뭐야~
끊겼어.
응?
누구?
어?
내애가
왜애 여기
이써어?
마따!
아거! 아거!
무슨
소리야?
너무 많이
마신 거
아니야?
엇

다시 잘래.
아, 모르겠다.
지끈
머리 너무 아파.
…
뭐가
좋아합니다, 사모님.
요즘 연락이 안 된다 싶더니.
뭐였지, 지금 젊은 여자 목소리가!
뻔히 들여다보이는 싸구려 아첨만 늘어놓고.
…냐고.
아름다워요. 매력적이에요. 사랑스러워요.

나
돈 좀 줘.

인제 나도
볼품없을
나이인가?
그럴 리 없어.
이놈이
멍청한 거야.
엄마,
엄마.

돈?
얼마나
필요하니?
조금만.

얘가 참. 돈은
팍팍 써야지.
쩨쩨한
여자가 되면
끝장이야.

사치를
두려워하면
안 돼.
화려하게
꾸미렴.

호화롭고 화려한
여자가 되지 않으면
돈 많은 남자가
접근하지
않는단다.
엄마처럼
행복
해져야지.
네에
네에.

별거 아니지만
이라고
말씀드리는 거
잊지 말고.
네에
네에.

그럼
이 서양란
가지고
가렴.

어디
가니?
응,
내 친구
앗짱네 집.

우리 엄만
진짜 저능해서
한심하다.
아~아

이대로 화성까지 가면
얼마나 좋을까.
밤 택시를 타면
기분 좋다.

그런데
도착한 곳은
정글이었다.
야호~

어머,
난 예쁘다.
앞으로 나를
제인이라고
불러.

왜 내 주변에는
어처구니없는
여자들만
있는 걸까.

그나저나
대단하다.
완전히
빈털터리 됐어.

도쿄는
뭐든 팔지만
뭐든
비싸-
아,
바나나
먹을래?
어,
고마워.
우아~

생각을 좀
해봤는데

이 방에서
자급자족
할 수는
없을까?
토마토랑
가지도
키우고
닭이랑
염소를 키우고
물고기도
양식해서.
괜찮을 거
같지.
바보야.
그렇게 무리하느니
남쪽 섬에 가서
살지그래?
아,
그러네?
너 머리
좋다~!
우물우물
...
화장실
좀 쓸게.
아, 상태
별로니까
조심해.
...

*특수 촬영물인 〈가면 라이더〉를
패러디한 예능 코너.

*일본의 유명 코미디언으로 "왜 이렇게 되냐고?"는 그의 유행어.

와장창
어?
철벅철벅
이게 뭐야?
어떻게든 알리바이는 성립했다.
지끈 지끈
익사하는 줄 알았어.
힉
살았다 ~ !!
…
그럴 리 있겠냐

당장 나가래.

하지만 어쩌지? 돈은 바닥났고 악어도 있고 방은 끈적거리고.
집으로 오지?
아래층 사람들도 화내고.
관리인한테 잔뜩 혼났어.
몰상식
우리 아파트는 애완동물 금지야.
어쩌나~ 어쩌나
엉엉, 엉엉, 엉엉.
미안하지만 네 엄마가 있는 집엔 안 갈 거야!! 죽어도 싫어!!
싫어!!
...
큰일 났네, 큰일 났어, 어쩌면 좋아. 하하하하
무슨 노래야?
우리 집 올래?
훌쩍 훌쩍

괜찮겠어?

뭐,
별수
없잖아?

기뻐!
하루오,
진짜 좋아♡

그날은 태풍이 휩쓸고
간 듯한 물웅덩이 방에서
냉장고 안은
다행히
무사하다.
꼬박 하룻밤 동안
셋이서 냉장고를 비웠다.

PINK 10 소꿉장난은 언제나 즐겁다

앞으로
신세 좀 질게.
고마워.

왜
이런 곳에
살아?
방이
좁다
~
그나
저나

그래
~?
모든 사람이 TV나
《뽀빠이》에
나오는 집에 사는 게
아니잖아.

바보.
이사하지
않고?

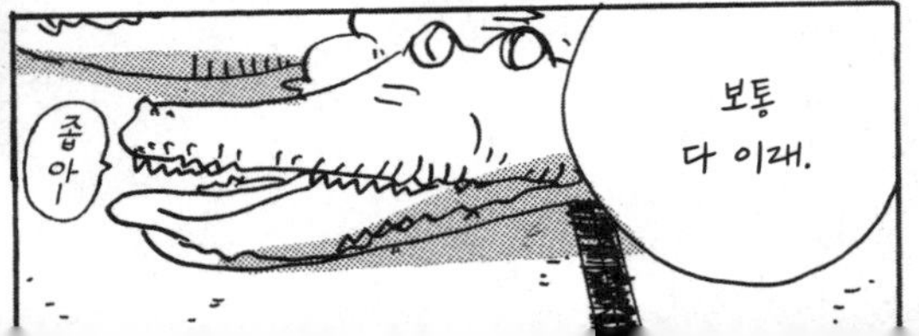
좁아
보통
다 이래.

나는 TV처럼 살고 싶고 《앙앙》처럼 살고 싶어.
왜?
2 캔째
다들 그렇지 않아?
…
싫음 나가든가?
아이, 참 심술궂으셔라♡
싫어 싫어
에이~!! 농담이야♡
미안해.

많이 겪을수록 인생 공부가 되니까.
어른스럽네.
나 귀찮지?
별로.

그녀의 과거가 궁금했지만
아니야, 아무것도.
저기
응?

응?

잘 자.
촌스럽단 생각에 묻지 못했다.

뭐 어떠니.
뭐든.

졸리진
않은데.
졸려?

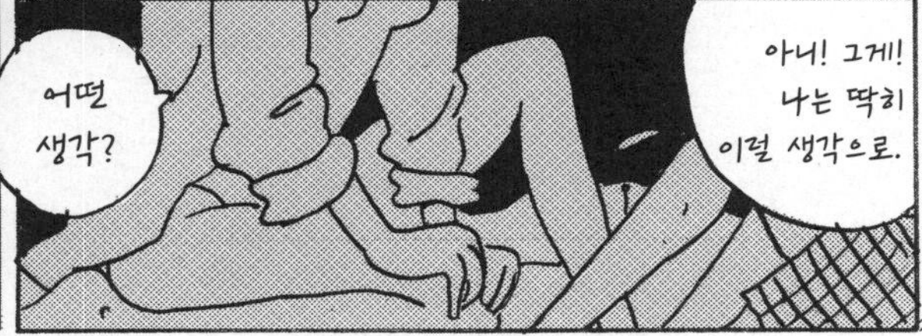
어떤
생각?
아니! 그게!
나는 딱히
이럴 생각으로.

좋아.
입으로
하는 거
좋아해?

응.

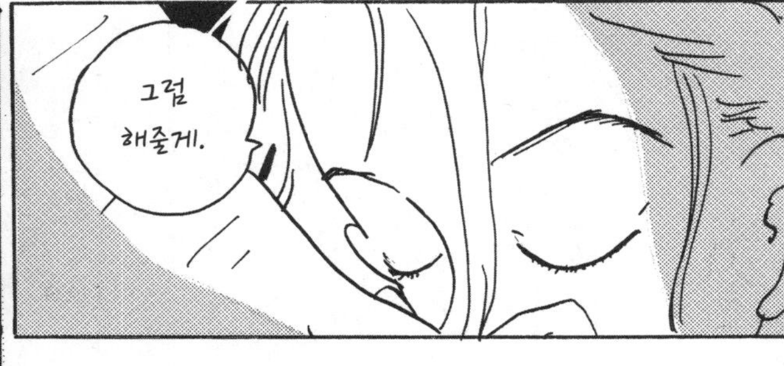
그럼
해줄게.

펠라티오를 받으며
그런 생각을 했다.

밤은
액체를 닮았구나.

안녕.

아, 달걀 어느 정도로 익혀?
지글―
입고 갈 옷도 구두도 정기권도 없으니까.
회사는?
오늘 쉬기로 했거든.
어, 아. 부드러운 반숙.
O.K. 알았어.
얘는 달걀프라이 소스를 좋아해.
쭈욱!
아앙
잘 먹겠습니다.
맛김
그래도 역시 기본은 소금이랑 후추지.
나는 간장.
나는 마요네즈랑 케첩도 좋아.
응.
그럼

나는 학교 다녀올게.
언제쯤 와?
오늘은 세미나가 있어서.
흐응.
저녁은 뭐가 좋아?
어, 아무거나.
그런 대답이 제일 곤란하거든–

다녀와.

입구
출구

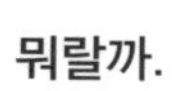
뭐랄까.

사랑 넘치는 생활을
하는 것 같네.

그 녀석을
좋아하는 건가.

날씨도
좋고.
즐거워.
즐거워.
즐거워라.
우후훗.
새댁이 된 것
같아서
재밌네.
청소도
즐거워.
설거지도
즐거워.
내일
회사 가기
싫다-
사과 껍질
깎는 것도
즐거워.

옷
사야겠구나.

귀찮아.

얘 먹일 것도
사 와야지.

화장품이랑
신발이랑
가방도.
아삭

빨리 결혼하고 싶어.
행복이 충만한
사자에 씨 집 같은
가정이 좋아.
남편은
마스오 씨*
같은 사람이지~

*사자에 씨의 남편.

멋있다~

그리고
일본 제일의
야구팀으로
키워야지.
내가 감독.
일요일마다
시합할 거야.

아이를 9명 낳아서
야구팀을 만들어야지.

집에 돌아오는 길에
이세탄 백화점에 들러서
옷을 잔뜩 샀다.

그날은 민낯에
하루오의 옷을 입고 가서
매니저에게 혼났다.
화가 났지만 꾹 참고
손님을 잔뜩 받았다.

참 신기하구나.
세상이란.

할배와 나란히 앉아
온수를 마음껏 끼얹으며
씻고
목욕탕에서
어깨까지
몸을 담그고
풍신
청결한
새 팬티로
갈아입고
맥주를 사서
집으로
돌아가니

거기에는 여자와 악어가
나를 기다리고 있다.
어서
와~

진수 성찬 이네.
에헤헤. 열심히 만들었지.
접시도 산 모양이다
잘 먹겠 습니다—
자, 맥주.
오오오
푸핫~
목욕 뒤의 맥주는 각별하다니까.
어머, 손님도 참.
맛다— 쇼핑도 했어. 보여줄게~~
잔뜩 질렀지롱!
…
돈 없다지 않았어?
벌었지.
아, 맛있다.
미끌
후룩—

음-
5명.
몇 명?
…
오늘은
많이 벌었어!
우물우물
운수
대통.
비교적
괜찮은 손님이
있었어.
얘가!
많이 먹잖아.
하루에
고기 10킬로는
먹으니—
회사
월급날까지
아직 멀었거든~~
그러셔.
꿀꺽
일해도 일해도
일해도!!
부족해.
아아,
지친다
니까.

구두다~
가방도 있고~
그보다 이거 봐!
그리고 화장품!
옷도 있어~
그러셔.
꿀꺽 꿀꺽
맨얼굴로 회사는 못 가니까.
그러셔.
그리고 이거.
…
사실은 워드프로세서를 사주고 싶었는데 조금만 기다려.
네 선물로 파자마!

…식욕이 사라져서.
똥 누고 올게.
하루오, 더 안 먹어?
고마워.
잘 먹었어.
왜? 밥 많이 했는데.
됐어.
둘이 나란히 서서 이 닦으니까 이상하다.
응.

응?
꼼틀
꼼틀

그럼 잘 자~
잘 자.
달칵

내가
싫어.

왜 그래.
하루오, 좀~
하지 마.

오늘
많이 해서
지쳤단
말이야.
아까
들었잖아?
내일 출근도
해야 되고~~
졸려.
싫다고.
왜
싫은데.

다음에
하자.
잘 자~

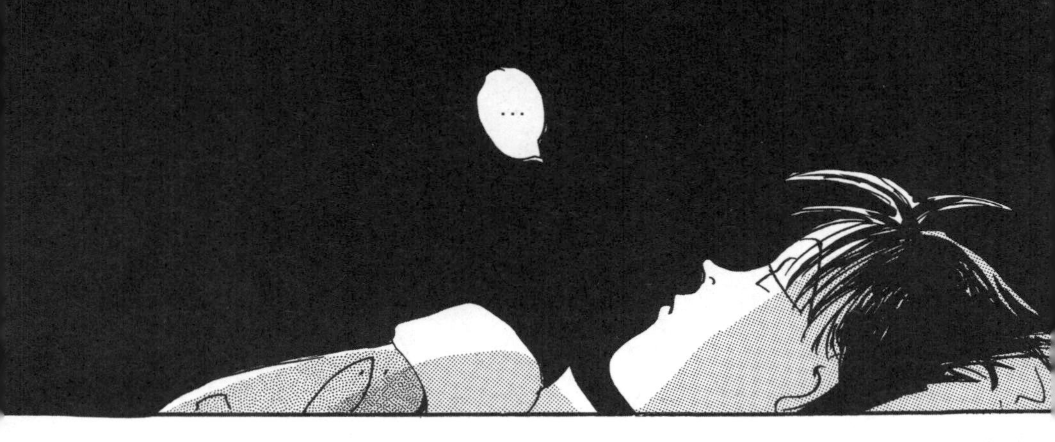
...

이 녀석은 천사 같은 표정으로 잠들고

악어도 멍청한 표정으로 잠들었지만

나는 전혀 잠이 오지 않았다.
아— 성질나. 말이 되냐고?
쿠울

나는
소심하니까.
하지만
안 한다.
그래,
맥주병도
괜찮겠네.
이 녀석이
자는 사이에
타바스코 바른
칫솔을
처박을까.
ㄹ
그러다 보니
아침이 됐다.
굿모닝~
악어한테
먹이 좀 줘.
낮에
정육점 사람
올 거야.
그럼
나 회사
다녀올게.
응.
그럼
스타킹 신는 중

다녀오겠
습니다~
쾅
굴굴굴
뭐야! 쟤!
건방지게
기어오르긴!
이글
이글
이글
고오
악어!!
굴굴굴
덩치만 큰 게
뻔뻔하게
뒹굴지 마.
퍼억
이
덩어리가!!
분노의 불꽃
…
크앙!!
헉
!!

…
왜 이러냐.

따르르르릉
아아

여보 세요~
아, 하루오 군?
나야.
할망구네.
아, 네.
와구 와구
오늘 만날 수 있을까?

네, 좋아요.
어디 에서 요?

젠장!
다 죽어!
와구
악어한테
먹히라고!
와구
그쪽이
음부를 판다면
나도 남창 짓을
해주겠어!
아작
우득
우작
맞다,
<노리다>
주제곡 바뀐
거 알아?
알아!
알아!
유미,
어제 무슨 일
있었어?
아,
볼일이 좀
있어서~
오늘부터
열심히
출근해서
일해야지—
요즘 세상엔
안 팔지~~~
하얀~~
판타롱~~
하루오가 방에서 뾰로통해 있을 때,
회사 화장실에서 우리들은
<노리다> 주제곡을
천사처럼 황홀하게 합창했다.

PINK 12 불능과 거울과 독사과

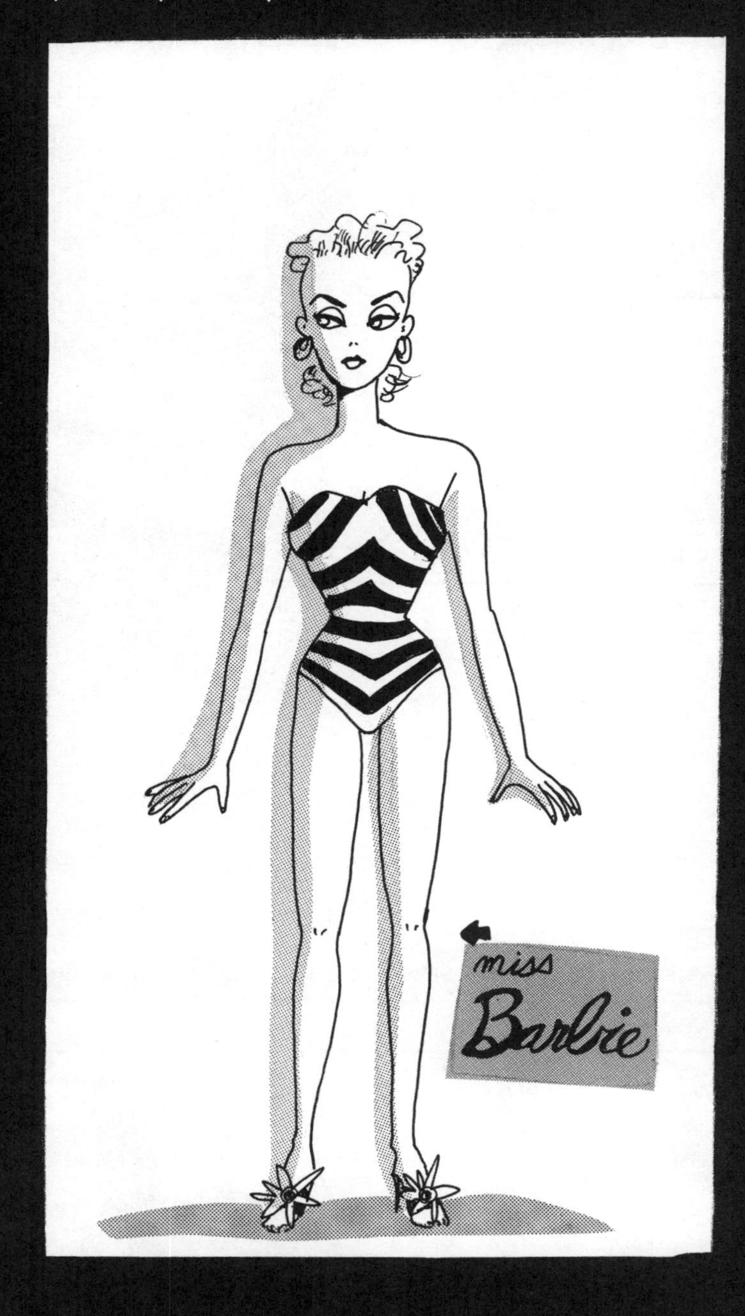

아니, 괜찮아.
남자들한테는
흔한 일이니까.
죄송
해요.
그럼 또
연락할게.
말은
이렇게 하지만.
내세울 거라곤
젊음뿐인 주제에!
저 머저리
뭐야!!
…
어라?
안 된다니!!

뭐지. 어디
부딪히기라도
했나?
헛소리나
지껄이고!

키스마크?

도대체!
어라?

어린 애인하고는
되고
나랑은
안 된다는 거야!!

거울아, 거울아.
이 세상에서
누가 제일 예쁘니?

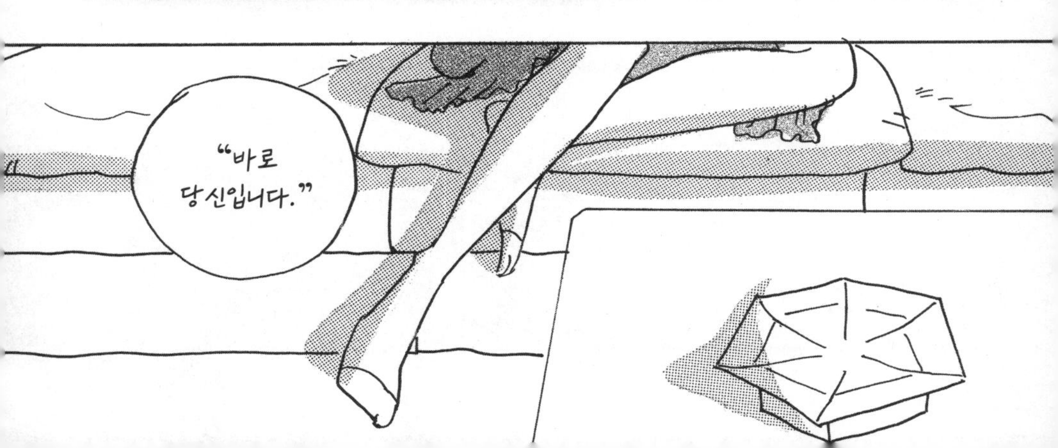
"바로
당신입니다."

종일
질리지도 않고
거울을
들여다봤더랬다.

젊어서는
거울 보는 게
세상에서
제일 좋았다.

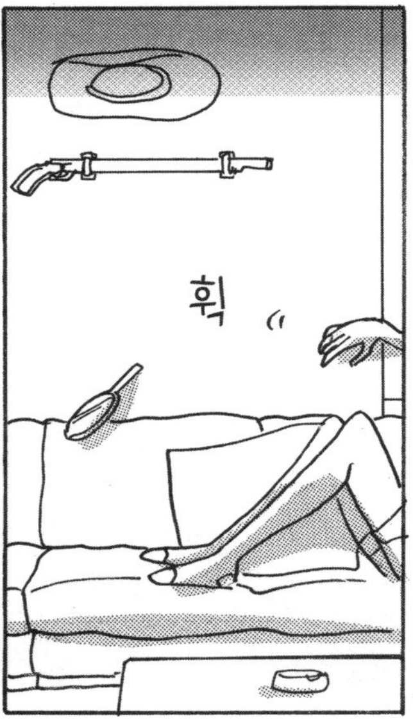

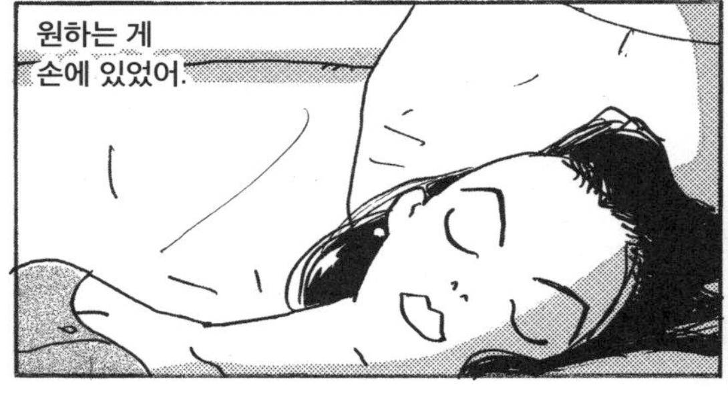

그런
머저리 하나
세우지
못하다니.
하지만
지금은…
읏~
그리고
거울은
보기도 싫어.
거울에 푹 빠진
한창때의 젊은 여자를
전부 죽이고 싶어!
예를 들어
이 세상의
거울을 전부
깨뜨리고 싶어.

그 지긋지긋한
딸애나.
응—

음—
음—
뭐 하니?
거울 봐.
거울 보는 거 너무 좋아!
재미 있어?
재미 있지.
너는 안 좋아해?
나는 남자잖아.

그럼
잘 자~
응.

오늘은
안 해?
하고 싶지
않아.

다행이다—
나도 오늘
손님을 3명이나
받아서—
이렇게
매일 하면
지치거든.
그러셔.

그래도
키스는
하자~
응?

잘 자
♡

나
발기부전이
됐나-
하-
아줌마가
의욕적으로
나올수록
Z
일이야!
분발하자!
시급으로
따지면
맥도날드의
100배라고!
쪼옥
쪼옥
라고
어떻게든
힘냈는데
내 의욕은
사라져서
아아아
이건
노동이야.
꽈악-
으으응
결국엔
못 했어-
...
Z

나는 대체
이 녀석의
뭘까.
…

열심히
노동해서
악어를
키우고 있어.
이 녀석은
대단하다.
Z

큰일났네.
밤에
이런 생각을
한다는 건
사랑의 증거.

과자에 덤으로 딸린
장난감처럼
괴로움이 반드시
따라올 테지.

사람을
좋아한다는 것은
성가신 부분까지
받아들인다는
뜻이다.
귀찮아-
SWITCH

따르르릉

싫다.

여보세요!
하루오 씨! 나야!
내일도
아카사카프린스에서!
깜짝!
뭐, 뭐, 뭐.
꺄하하하.
놀랐어?
나야, 나!
히히, 잘 지내?

뭐야, 어린애가 이런 시간에!
아직 1신데 뭐?
전속 독자한테 말을 함부로 하네?
요즘 소설 착실히 쓰고 있어?

전혀.

그럼 안 되지.

맞다,
악어랑 언니랑
하루링의
사랑 넘치는
생활을 소설로
쓰면 어때?
읽고 싶네.
사랑?
사랑 넘치는
생활 아니야~
왜
이러셔~
나는 알아.
언니는
분명···
게이코!!
그래서
에이,
게이코.
장난치지 마~
여보세요!
유미 양!!
···언니
하고···
뭐
하는 거니!
한밤중에!
누구랑
통화
하는
거야!

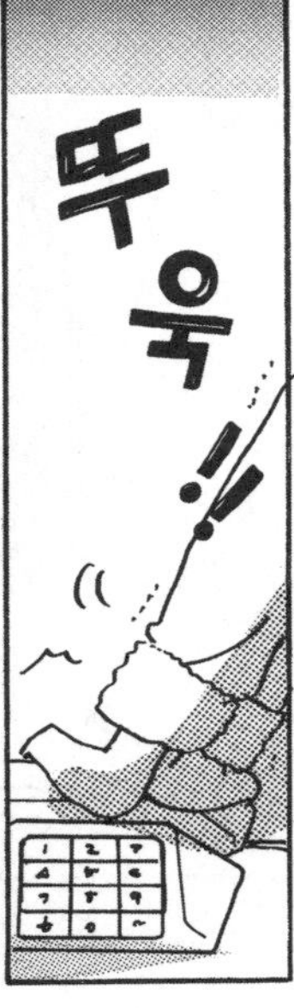

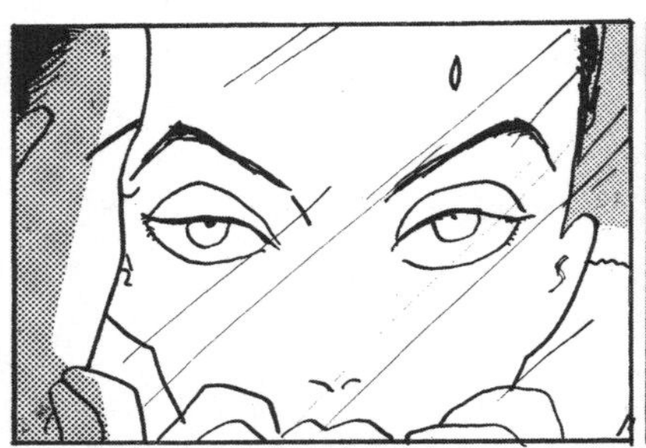

두고 보자고!
독사과를
들고 가줄 테니!

그 애송이가!
그 계집애가!
사람을 뭘로 보고!

PINK 13 왕비님은 노동한다

*일본의 만화가이며 탤런트로도 활동한 우메즈 가즈오가 그린 개그 만화. 주인공은 마코토라는 이름에서 '토'를 빼고 '링'을 붙인 마코링이라는 애칭으로도 불린다.

거짓말 이다.
진짜, 진짜.
진짜?
안 했어.
사실 못 한 거지만.
잠깐!! 하루링!! 그렇다면 엄마랑 또 섹스한 거구나!!
어른은 변태에 거짓말쟁이에 복잡해서 싫어!
아~아
거짓말쟁이는 거짓말을 한다.
진짜 라니까.
진짜지? 하루링?
랄랄 랄라~♬
어린이가 최고지롱~
하루링, 언니랑 결혼하면 어때?
아무튼 내가 생각을 해봤는데
붕 붕

분명히.
왕자님이 나타나면
그러면 언니도 안정될 거야.
결혼은 !?
내가아?
응.

동화는 다 그렇잖아?
...

백설공주도 오로라공주도 왕자님의 키스로 눈을 떴잖아?
단순한 자는
단순한 소리를 한다.

지금은
무서운 마녀조차
공주님 때문에 고생하는
광기의 시대야.
...

...
그러게.
공주님은 전부 처녀에다
순진무구하게 잠을 자던
행복하고 단순한 시대였으니까.

창자가 뒤틀려.
분노를 금할 길이
없어. 노발대발
한다는 게
바로 이거야!!
부들
부들

어떻게
해줄까.

그 계집애!!
지긋지긋해!!
항상 저만 옳다는
표정이나 짓지!!
그래.
메롱

그보다!!
그 머저리!!
맹한 주제에
사람을
아래로 보고!!

벌레를 보는
눈빛으로
나를 보고
나를
완전히 깔보고
바보 취급했어.

처음 이 집에 와서
만났을 때부터
그 계집애는

무시했지.

올림픽 입장
행진을 보면
뭉클하고

남편은
사랑하지
않지만.
내가 낳은
딸은
사랑스러워.

나도 성격이
심하게 뒤틀린
여자지만
어떤 인간라도
다정한 마음은
있는 법이다.

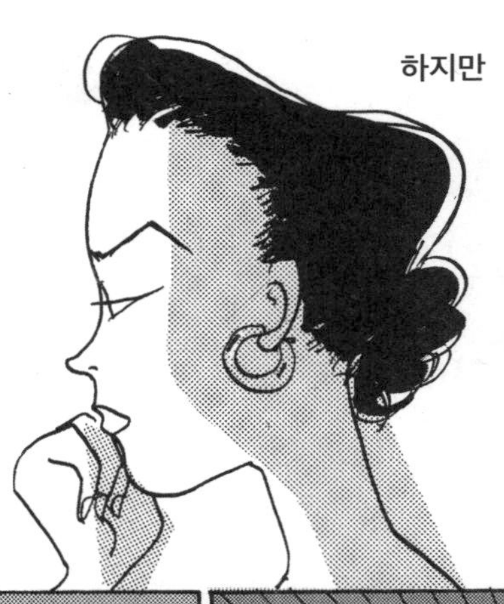
하지만

어려서 키우던
개가 죽어서
울기도 했어.

그 계집애만은
안 돼.
사랑하려고 해도
증오하게 돼.
갈가리 찢어서
고깃덩이로 만들어서
뚝
뚝
뚝
뚝
햄버거에
넣고 싶을
정도야.
이 햄버거
맛없어!!
런치타임
A런치
B런치
C런치

있잖아—
이 B런치
(햄버거, 생선가스,
스파게티, 밥,
커피 추가 800엔)란 거
우리 같지 않니?
퍽퍽하고
버석버석해.
냉동한
가짜 고기
쓴 게 분명해
매일 대단한 일도 안 하고
매일 별로
달라지는 것도 없고
매일 좋지도 않고
나쁘지도 않은
시시한 메뉴.
그런 느낌이
닮았어.
그러니까.
갑자기
무슨
소리야?
마치
아,
슬슬 1시다.
가자.
그래도
나는 이런 맛
좋더라.
진짜?

아~ 뭐 좀 좋은 일 없을까.
그러게.
돈이 필요해—
응.
야노 아키코의 노래
호강하면서 살고 싶어.
내 목표는 꽃가마 타기!
♬ 언젠가~ 왕자님이~
올~~~ 거야! ♬
맞아—
하하하
나는 왠지
이유 없이 서글퍼졌고,
돈이 그렇게 필요하면
몸을 팔면 될 텐데
하고 생각했다.

나는
그럴 수 없어.
이러쿵저러쿵
투정을 부리면서도
인내심이 강하다.
왕자님 따위를
기다리다니.
역시 다들

왜
그럴까-
갖고 싶은 건
가져야 하는걸.
갖고 싶어서
미쳐버릴 지경인걸.
잠자코 못 있어.
처음에는
50센티미터
정도였지-
아빠한테 떼를 써서
생일선물로 받았다.
17th BIRTHDAY PAPA
악어도.
게이코랑 나는
완전히
신이 났지만
←1년 후

강하고 차가우며,
뭐든지 먹어치우는
공룡.

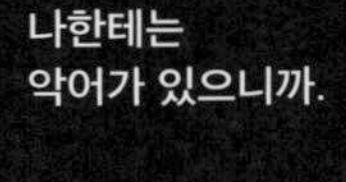

네.
뉴오쿠라 호텔 7시요. 방이…
여보세요, 매니저님?
그 애를 지키기 위해서라면 뭐든 하겠어.
매춘부는 매춘한다.
좋은 손님이었으면.
상담자는 상담한다.
네 엄마, 어떻게 나올까?
글쎄.

계획자는 계획한다.
어떻게 해줄까.

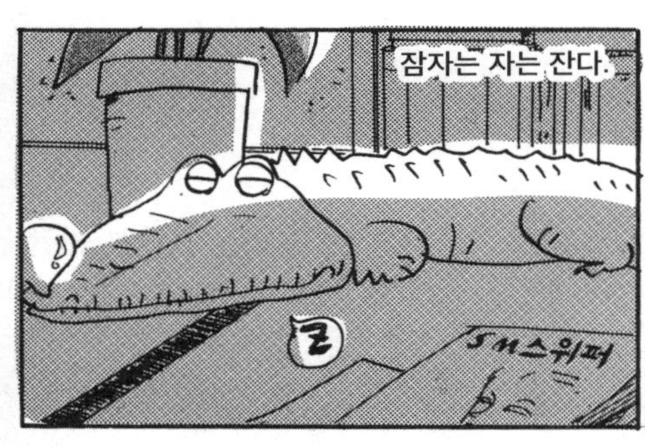

그때 악어는
아무것도 알지 못하고,
아무것도 생각지 못하고

그저
아마존의 꿈을
꾸고 있었습니다.

PINK 14 동물의 눈에 비친 인간 저마다의 생각

우적 우
잘도 먹는다.
얌마?
아득 아득
일본의 이런 다세대주택의 한 방에서 말이야.
앙?
너한테는 야성이란 게 없냐?
먹고 자고 먹고 자고
열심 열심 열심
와구와구
한심하단 생각 안 들어?
엉?
파충류에 대고 대화하려니 허무 하구나.
응

동물은 이상해.
형태도 이상하고.
무슨 생각을 할까.
ㄹ
생각해보면 인간의 형태도 이상하지.
빤-
웩~~~!! 손을 빤~~히 쳐다봤더니 기분 이상해졌어.
이상하게 생겼어!
ㄹ
그나저나
우리 일벌레 공주님은 늦네.

너, 더러워.
여기로
몇 명의 성기를
받아냈어?
앙?
어이
입 닥쳐,
암캐.
멍청한 것,
멍청한 소리
내지 마.
으응
그런 거
몰라요오
알았어?
아파.
개는
말 따위
안 한다고.
알겠어?
너는 고깃덩이야.
음부라고. 벌레야.
동물 이하야.
네.
말하지 말라고,
머저리.

말하지 말라 니까!!
그보다 너, 허리를 더 흔들란 말이야!!
휘익
… 아니요.
정육점 고기가 말하든? 음부가 말하든? 벌레가 말을 해?
엉?
철썩 철썩
네 구더기 같은 뇌로 내 자지만 생각하라고, 알겠어!
성실하게 해!!

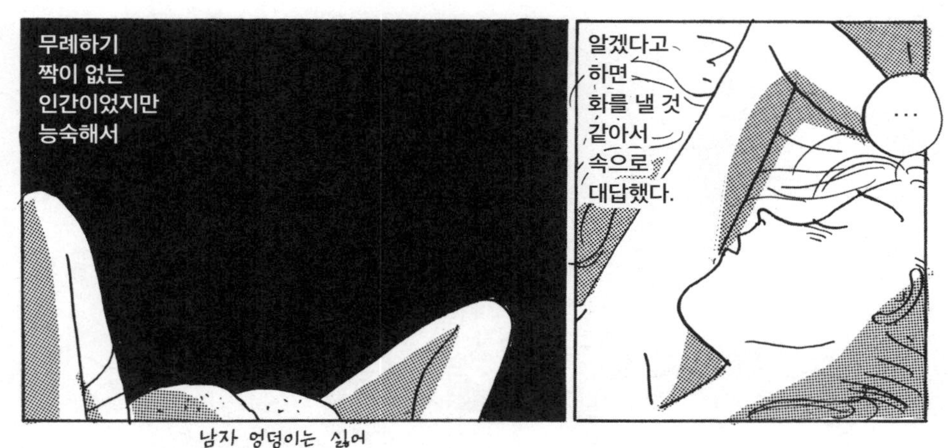
무례하기 짝이 없는 인간이었지만 능숙해서
알겠다고 하면 화를 낼 것 같아서 속으로 대답했다.
…
남자 엉덩이는 싫어

나는 완전히 가버렸고

그 손님은
많은 돈을 남기고
후다닥 가버린 뒤였다.

기분에 취해
넋을 놓고
있었더니
응-

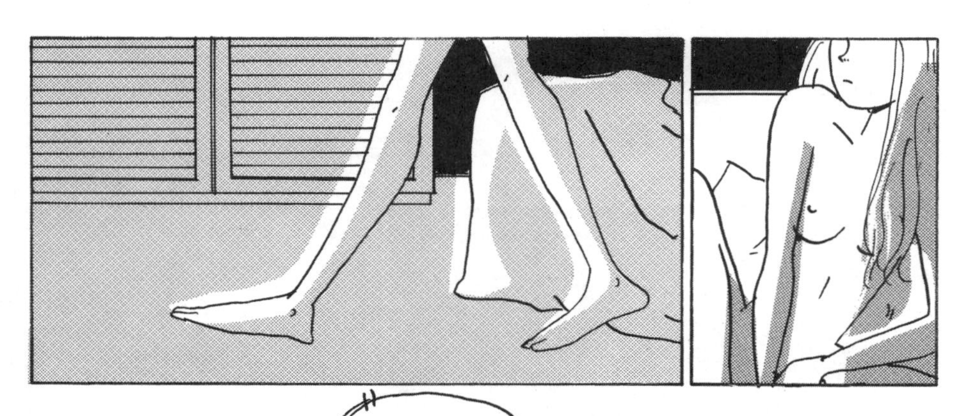

TV를 켰더니
조금 전의
손님이 나왔다.
이번 게스트는
아프리카
멸종위기 동물의…

터치 판

그 인간이
역시 그렇군요. 생명이 지구 규모로…
멋진 말을 하네.
지당하고 청결한 말을 하기에, 나는 진심으로 감탄했다.
조금 전까지 암캐니 자지니 엉덩이구멍을 핥으라는 소릴 했으면서.

그 인간은 동물 보호를 주제로,
모피나 파충류 포획은 부당하다고 주장했다.
말 잘한다.
역시
동물이 가여워.

하지만
토끼는
귀여우니까.
이번 겨울에
까만 토끼털로 만든
귀여운 코트를
갖고 싶어 했던 걸
반성했다.
나는 왠지
유쾌해졌다.
나는
기분 좋으면
달콤한 게
당기더라~
키득
돈이 잔뜩 들었던
그 인간의 악어가죽
지갑을 떠올리자
엄마,
웬일이야?
아~
애플
파이다.
달콤한 거,
달콤한 거.
애플파이
먹고 싶다.

애플파이를
다 굽고?
응? 웬일 이긴.
엄마도 가끔은 실력 발휘 해야지.
좋아하지? 엄마가 만든 애플파이.
진짜 좋아!!
짱짱 좋아!!
세상에서 엄마표 애플파이가 제일 좋아.
달콤하고 사과도 잔뜩 들었고.
심술궂은 언니도 엄마 애플파이에는 맥을 못 추잖아.
후후 후훗

그러고 보니 그랬지.
쿡쿡
엄마가 기분 좋을 때는 요주의.

그래도 나는
엄마가 기분 좋을
때가 좋다.
아직 안 됐어?
아직이야?
통통
땡!!
조금만 기다려.
자, 됐다!!
와~!! 맛있겠다!!
후후, 먹음직스럽네.
그런데 이렇게 많이 만들어서 어떡해?
다 못 먹겠다.
그러게.

뜸 들이지 마

엄마가
다정할 때는
요주의.
네가
가져다
주렴.
유미 짱한테도
좀 가져다
주겠니?
내가 가면
싫어하니까.
켁,
유미 짱
이라니.
응!!
무슨 생각인지
모르겠으니까.
아, 지금
시간이면
아빠 회사
차를 쓰렴.
가와시마
기사님
불러줄게.
그래도
나는 엄마가
다정할 때가 좋다.
그럼
지금 바로
가도 돼?

어? 왜?
나는 택시
타는 게
좋은데!
시간
늦었잖아.
위험해.
이 아줌마,
무슨 소리래.
빨간 모자
아가씨는
늑대를
조심해야지.

그럼
가와시마 씨,
부탁드려요.
네.
일반적인 집이라면
이 시간에 애를
밖에 안 내보낸다고.

…
이 인간들
하는구나.
어떻대도
상관
없지만.

아가씨,
어디로
가시죠?
어,
스기나미구
의~

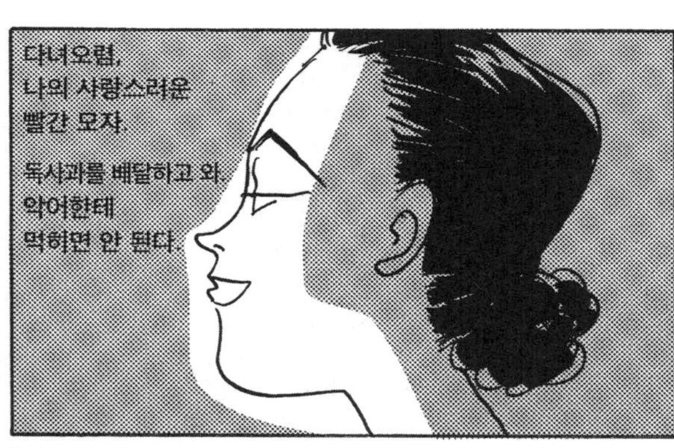
다녀오렴,
나의 사랑스러운
빨간 모자.
독사과를 배달하고 와.
악어한테
먹히면 안 된다.

그때
일벌레 신데렐라 아가씨는
자정이 넘어서도
손님을 받느라
아직 집에 돌아오지 않았습니다.

밤 늦게
감사해요.
무슨
말씀을요.
여기!!
고마
워요.

고마워요.
늦게까지
고생 많았어요.
답례는
다음에.
우후후후
여보세요,
사모님.

위치는
알아냈으니
그럼

악어 한 마리로 가방을 몇 개나 만들 수 있을까?
우후후
오늘은 손톱 손질이나 할까.
이 녀석만 없으면.
악어만 없으면.
Z
Z
내 인생도 그 녀석 인생도 정상적일 텐데.
싹둑
싹둑
싹둑
확 죽여버릴까.

하지만
내 손으론
무리야.
소심
하니까.
싹둑
싹둑
똑똑
들여
보내
주세요.
사랑하는
하루오~~~~♡
나 다녀왔어.
두근
유미!?
그쪽 일도
오늘을 끝으로
그만뒀어♡
이젠
당신뿐이야.
온리 유♡
러빙 유♡
기다렸어,
그 한마디를!
어서 와…!!
꺄하하.
비슷했어?
언니 흉내?
…
이 자식
언제가 됐든
죽인다.

싹둑 싹둑 싹둑
그러고 보니
어렸을 때
살인 리스트를
만들었지.
뭐 하고
있었어?
소설
만드는 중.
수업 중에.
그게 훨씬
귀찮겠는데.
직접 쓰긴
귀찮으니까
남의 책을
오려다가 쓰려고.
가위로
책을 오려서
망가뜨리고
있잖아.
소설
이라니?
싹둑
싹둑

호감이
사라진다.
너무
불성실하지
않아?
흐~음
공작 시간
같거든.
연필 붙들고
있는 것보다
재미있어.
싹둑
싹둑

모처럼
선물까지
가지고 왔는데.
뭔데?
애플파이.
나 단 거
싫어해.
됐네요.
악어랑 언니랑
먹을 거니까.
싹
둑
언니
아직이야?
응.
어딜
쏘다니는
걸까.
그러게.
굴
굴
싹둑
싹둑
싹둑
싹둑
싹둑
싹둑
나도
시켜줘.

이익!
하나밖에 없거든요!!
서걱 서걱
가위.
하지만 재밌어 보여!!
시켜줘, 시켜줘.
바등 바등
바보야. 나는 진지하게 소설을 창작하는 중이야.
죄와 벌
다녀오겠습니다~
참을성 없는 아가씨네.
쾅 쾅
됐어!! 내가 직접 편의점에 가서 사 올 거야!!
짠돌이!! 가난뱅이!!

여기에도 참을성 없는 아가씨가 한 명.
《JJ》에 실린 준코 시마다 PART II의 원피스 귀여웠지-

갖고
싶어.
사야지.

다양한 사람이 살고
각자의 생활이 있고,
저 집의
저 창문이나
이 집의 이 창문.

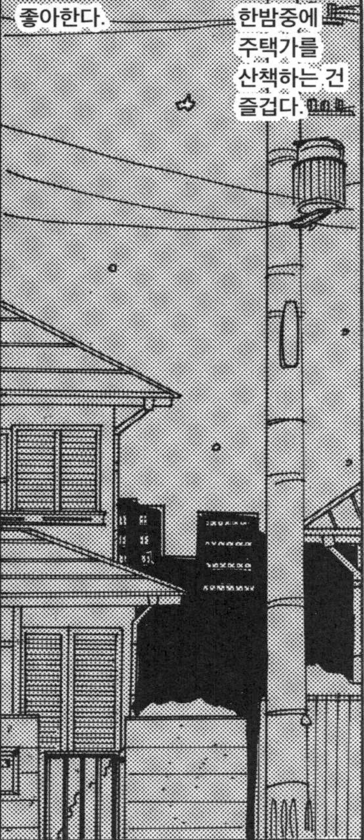
한밤중에
주택가를
산책하는 건
즐겁다.
좋아한다.

지금으로선
아무 관계도,
관심도 없지.
혹시 만난다면
친구가 될 수도 있고
별로일 수도 있지만

…

참 신기하지.
신기해.

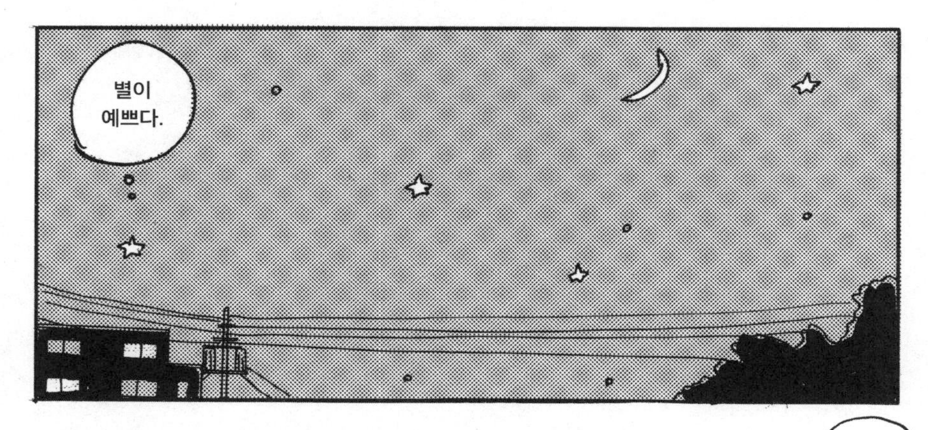
별이 예쁘다.

지구 밖에 정말로 외계인이 있을까?
이런 로맨틱한 생각을 하며 혼자 걷다가

화성에 가보고 싶어.

치한한테 강간당하고 살해당할지도 몰라.
있을 법한 일이야.

내일 신문에 실린다거나.
무서워.
데이트 매춘부
회사원살해!!
콘크리트에 묻혀!!

이 세상에는
무슨 일이든 생긴다.
무슨 일이든 생길 수 있다.
분명.

지독히 심각한 일도
지독히 아름다운 일도.
…
단 거 먹고 싶다.

앗!
게이코
잖아!!
앗,
언니!!
응?
편의점에라도
들를까.
기쁘다···
어! 진짜!
대박!!
엄마
애플파이
가져왔어.
그렇지!!
이 세상은
대단한 확률로
움직이는구나.
아,
단 게 먹고
싶어서.
웬일이야?
한밤중에
편의점에서
여동생을
마주치는 것도
신기해.

맞아~
밤거리,
기분 좋다~

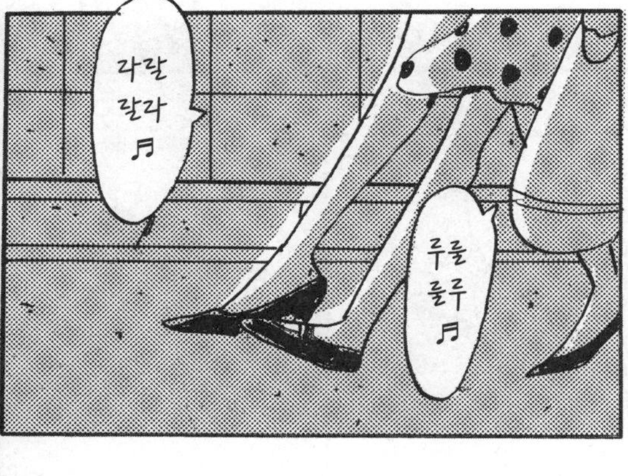
라랄
랄라
루룰
룰루

다녀 왔어—
어서 와.
싹둑 싹둑 싹둑
뭐 하니?
소설 제작.

흠~
대단 하네.
에이— 나도 만들 거야.
뭘?
소설.
그래? 유행인가 보네.
몇 조각으로 자를까.

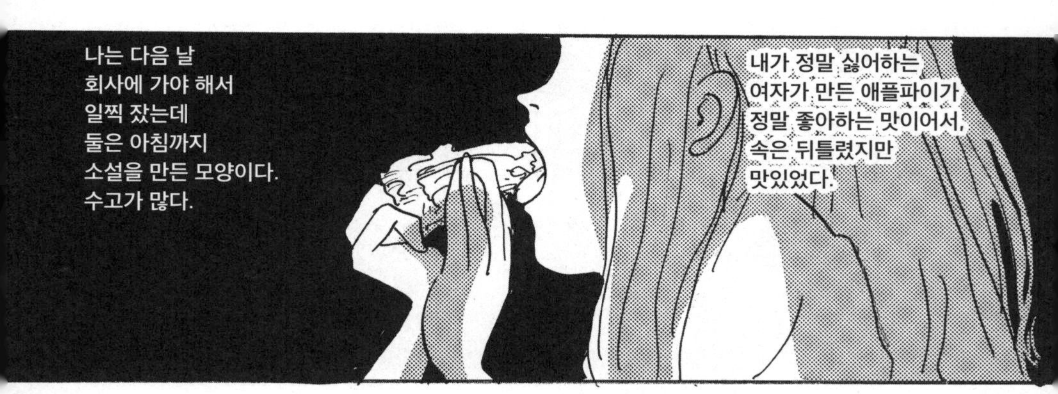
나는 다음 날
회사에 가야 해서
일찍 잤는데
둘은 아침까지
소설을 만든 모양이다.
수고가 많다.
내가 정말 싫어하는
여자가 만든 애플파이가
정말 좋아하는 맛이어서,
속은 뒤틀렸지만
맛있었다.

PINK 16 블러디 러버스

왜 그래,
언니!!
아파, 아파,
아파아.
싹둑
싹둑
싹둑
배가
아파!!
윽!
어제 먹은
애플파이에
독이 들어서
배가
아파!!
아
중독된 줄
알았는데
아니었다.
아파아!
시작한 것
같아.
괜찮아?
왜
그래?

편의점에서
그것 좀
사다줘.
미안해,
하루오.
아아,
그거!
그거냐!
멍청하긴,
남자는 하루링.
짜증 나!!
…?
뭐가?
그거.
남자가
용기가 없어!
바보,
하루링.
나는 싫어,
창피하잖아.
엑,
나보고
가라고?
갑자기
시작해서
사둔 게
없거든.
그럼
내가 같이
가줄게.
남자니까
어려운
거라고!!
후딱
다녀올게.
응, 위스퍼랑
안네 탐폰 OB.
언니,
뭐가 좋아?
'초경이 와서
당황한 여동생과
여동생을 사랑하는
오빠 놀이' 하자.
…그건 좀
위험하지
않냐.

쾅

몇 년을 여자로 살았는데 이러니.
바보 같아.

아아, 피가 잔뜩.

나를 식용 고기로 착각하고 잡아먹으면 안 돼.

악어가 피 냄새를 맡고 깼다.

물론 고기가 아닌 것도 아니지만.

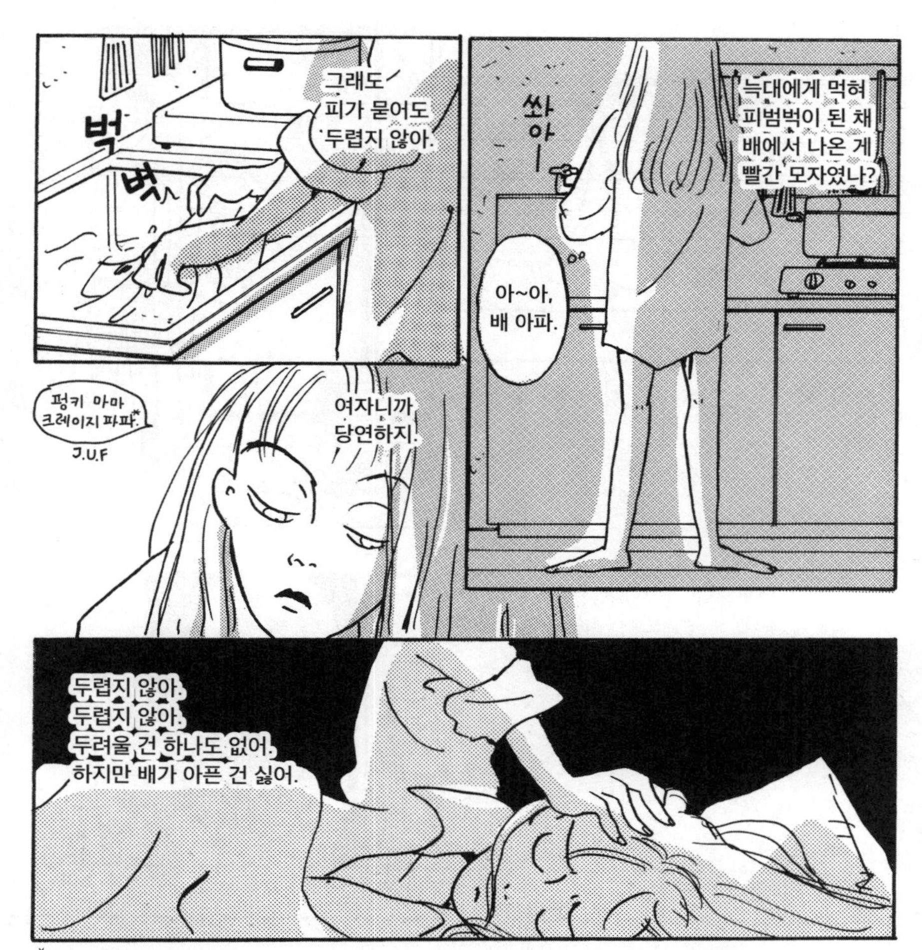

*일본 록밴드 문라이더스의 노래 <Jub Up Family>에서 "펑키 파파 크레이지 마마"라는 가사를 변형한 것.

아,
창피해 죽을
뻔했어.
웃겼다?
하루링, 완전히
새빨개져선.
쓸모없는
것까지
사지 뭐야.
봐라!
수세미에
샴푸에 폭죽까지
샀어.
귀여워
♡
24개
미안해.
괜히 귀찮게
해서.
됐어.
그보다 약은?
응.
진통제 먹었어.
고마워.
오늘
어쩔 거야?
생리 휴가
내게.

TOTO
너희는?
소설을
완성
하겠어!!

↑탐폰 착용 중

그래,
다음에.
그치?
언니도
다음에 해봐.
재미있어.
잘 자.
잘 자.
힘내고.
둘이
가위질하는
소리가 들려서
배가 아프고
기분이 나쁘고
머리가 아프고…

눈을 떴더니
오후였다.

잠들어서도
이상한 꿈만 잔뜩 꿨다.
(꾼 것 같다.)

좀처럼
잠들지 못했다.

잘 잤어?
응, 안녕.
게이코는?
학교 갔지.
←다크서클
크크크 크크
?
뭐야?
히히 히히 히히 히히
짠! 소설을 완성
해버렸지!!
대단 하지!
뭐야?
뭐냐고?
크
뭔데! 의미심장하게 웃고?
헤헤
어? 안 돼. 얄미워~
보여줘, 보여줘, 보여줘!!
보여줘, 보여줘, 보여줘!!
어! 진짜?
싫다면?

*《별책 마가렛》이라는 만화잡지를 줄인 애칭.

그래도
이건 꼭
베스트셀러가
될 거야!!
머리 나쁜
나도
재미있으
니까!!
진짜?
가면 노리다가
나오지 않으니까
〈여러분 덕분입니다〉
보다는 별로야.
하지만
그런
소리 들으면
불안해지는데.
저기

좋아해,
하루오.
나
팬 할래.
응
읍
음
응
Z

그럼
내 이걸
먹어줘.
먹어치우고
싶을 정도로.
좋아.
응~
넣어도
돼?
응,
아주 맛있어.
맛이 훌륭해.
맛있어?
넣고 싶어.
넣으면
안 돼?
아,
넣고 싶어.
그거
중인데.
어? 나
아래에
수건 깔고
하자.

피범벅인 음부에
들락거리는 성기가
꼭 케첩 뿌린 소시지 같다.
앗

빨간 피와 하얀 피가
뒤섞인 액체와도
같은 대낮.

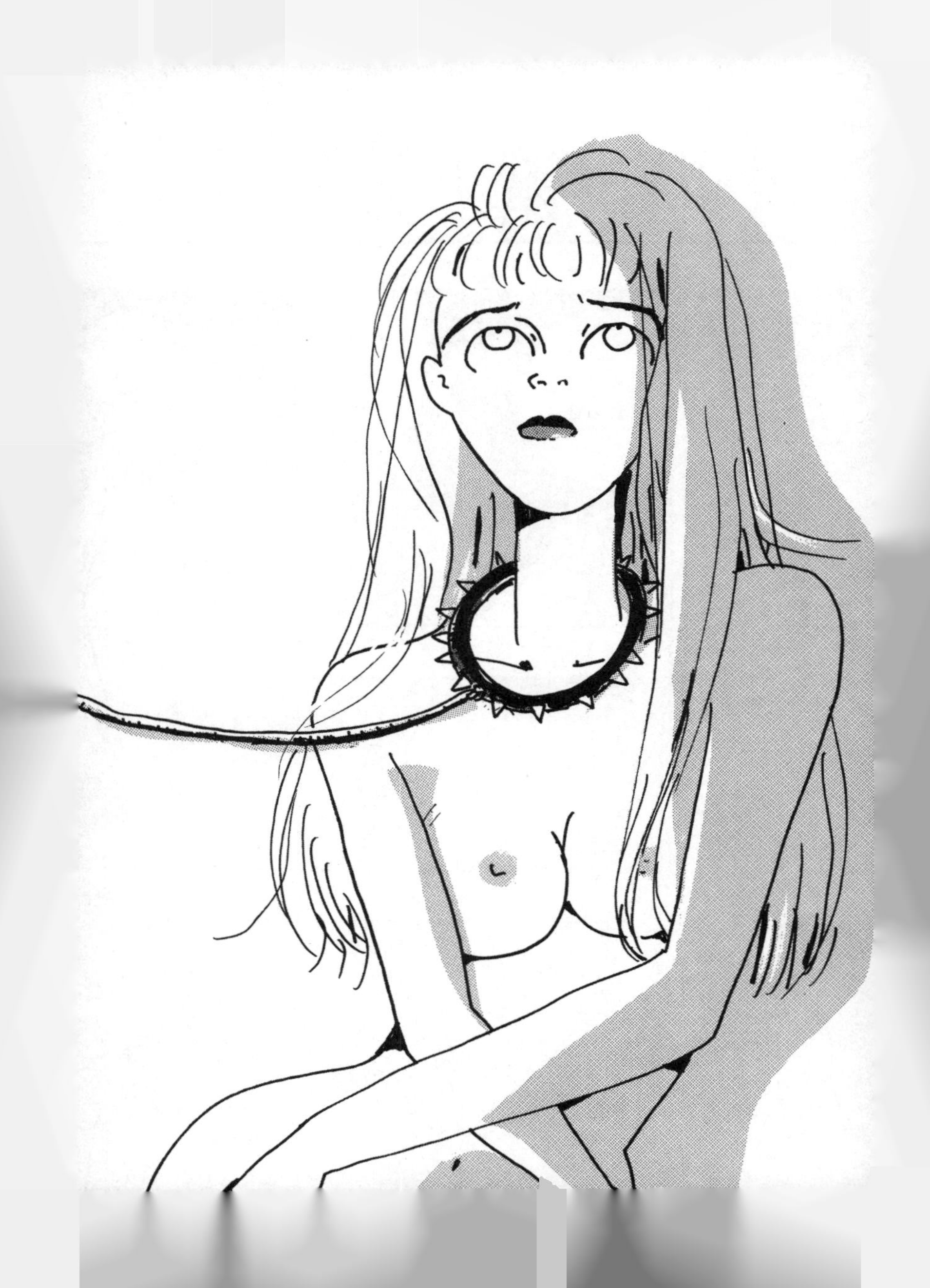

배고프다.

그래도 나
하루오를 잔뜩 먹었는걸.
나도 유미를 잔뜩 먹었어.
꼬르륵—

역시 뭐든 먹으러 가자~
꼬륵—
귀찮아~
인간은 왜 배가 고파질까?

나
인간은 왜 음식을 안 먹으면 못 살까?
부조리하다고.
이런 식으로
너도 나를 먹어줘.
계속 하루오만 먹으며 살고 싶어.
좋아해.
흡-
방은 끈적한 휴지로 난장판.
우리가 바보처럼 해댄 덕분에
있지.

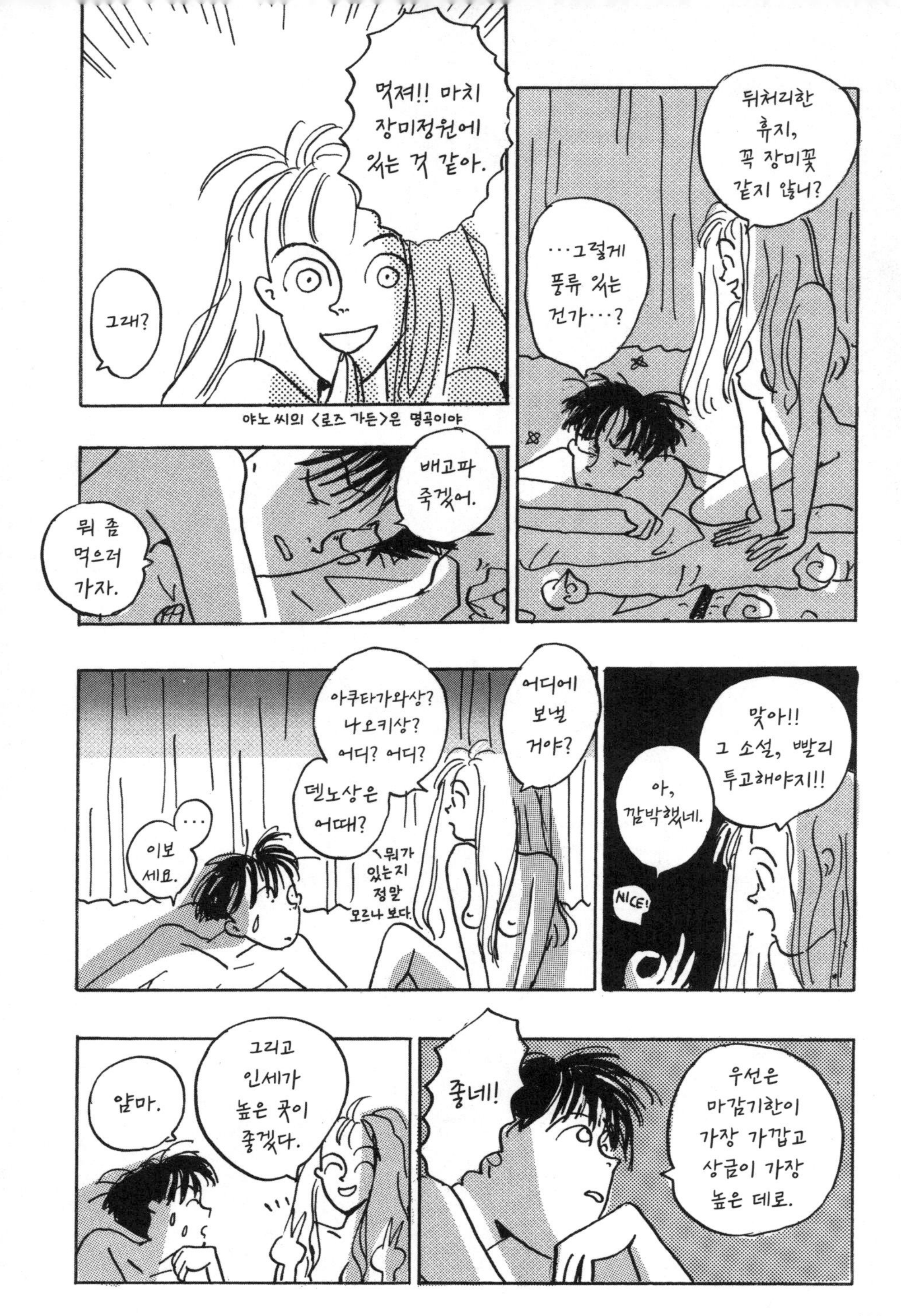

멋져!! 마치 장미정원에 있는 것 같아.
그래?
야노 씨의 <로즈 가든>은 명곡이야
뒤처리한 휴지, 꼭 장미꽃 같지 않니?
…그렇게 풍류 있는 건가…?
배고파 죽겠어.
뭐 좀 먹으러 가자.
맞아!! 그 소설, 빨리 투고해야지!!
아, 깜박했네.
NICE!
어디에 보낼 거야?
아쿠타가와상? 나오키상? 어디? 어디?
덴노상은 어때?
뭐가 있는지 정말 모르나 보다.
…
이보세요.
우선은 마감기한이 가장 가깝고 상금이 가장 높은 데로.
좋네!
그리고 인세가 높은 곳이 좋겠다.
얌마.

탐폰 넣는 거 볼래?
응.
우선은 옷 입고 밥 먹으러 가자.

응.

아아, 재미 있었다.
다음에 또 보여줄게.

얌전히 있어.
다녀올게, 악어.

그럼

악어는
기다림에
익숙했다.

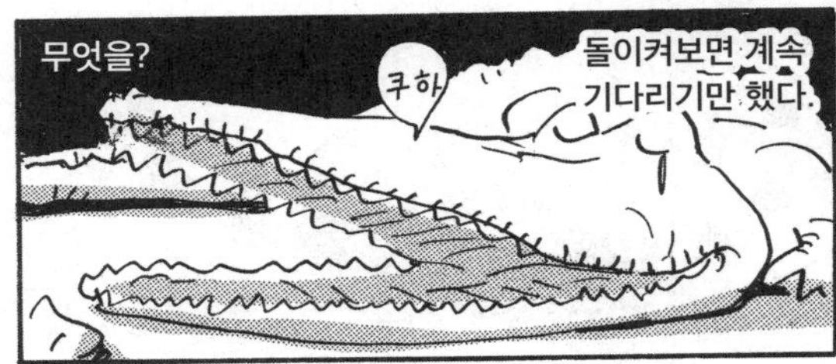
무엇을?
쿠하
돌이켜보면 계속
기다리기만 했다.

악어는
보는 눈이
정확했고
기분파 주인님이
언젠가 반드시 정글에
데려가주리라 믿었다.

정글을,
열대를.

그래서 다소
배가 고프고
화가 나도
주인님을 먹을
생각은 들지 않았다.

아파아
화도 나고
배도 고파서
살짝 깨물어줬다.
아구

하지만 지금
주인님의
모습은
뭐란 말인가.
먹을 맛도
안 나는
남자 위에
올라타서
기뻐하다니.

악어는
불안해졌다.
정말로 정글에
돌아갈 수 있을까?

덜컹
끼익

?

건배.
무슨 소리래.
네 책이 1억 1천만 부를 돌파하길 바라며.
늑대를
엄마로 착각해서
잡아먹힌 게
일곱 마리 아기염소
였던가?
고기 굽기는 어떻게?
전 레어로요.
저도요.
음— 와인 맛있다.
감미로운데.

음, 맛있어. 행복해.
살아 있어서 다행이야.
지글
우물

유미,
너는

사는 보람
이라니까.
맛있는 걸
먹으면
행복해.

뭐든
좋아하는구나.
어머

그래도 지금은
네가
제일 좋아.
…
어이
뭐래.
싫어하는 것도
있어.
낫토랑 털벌레랑
구토랑 똥 이야긴
질색이야.

이렇게
행복해도
될까?
행복해.

불안해?
아니, 전혀.
행복이란 건 당연하잖아?

엄마가 자주 하던 말이야.
우물 우물
행복하지 않을 바엔 죽는 게 낫댔어.
어머니는?

물어보면 안 된다는 것을 깨달았을 때는 늦었다.
…
그 말 그대로 죽었어.
목매달고.
자기가.
팬티 스타킹으로.

목매단 시체
대단하다?
내가 목격 했거든.
와, 진짜! 깜짝!
그렇게 아름다웠던 사람이 무참하게…
그래, 정말로
이런 모습이…
왜 그래, 하루오? 식욕이 없어?
…
이제 배가 부르네.
그래?

음, 맛있어?
맛있다.

그럼 내가 먹어도 돼?

…

그날 밤,
일벌레 신데렐라가
왕자님과
고기를 탐할 때,
악어는 악당에게
납치당하고 말았습니다.

잠깐만,
유미!
지잉—

악어가 사라졌다.

정신 똑바로 차려! 여사원 한 명의 실수는 전 여사원의 실수니까.
아, 미안.
멍청이
대체 몇백 장이나 복사해야 속이 풀리겠어?
아

뭐래. 지루하기 짝이 없는 이딴 일을 이보다 어떻게 더 성실히 해!
사람이 왜 이리 맹해.

악어.
다들 악어 먹이나 되면
속이 시원하겠다.

바보처럼
좀비처럼
일하면서.
말도 안 돼.
다들 잘도
이런 권태를
견디네.

어서
와.
다녀
왔어.
10개에
300엔인
아이스크림

하아

까악~!!
어디 간 거야!!
진정해
으악
악어!!!
버둥 버둥
악어가 사라지고 한 달이 지났다.
유미는 처음에는 반광란 상태였지만
요즘은 차분해졌다.
아니, 차분한 건가.
꽃이 예쁘다.
집에 있을 때는 크레용으로 악어 그림만 그리고
한숨만 자꾸 내쉰다.

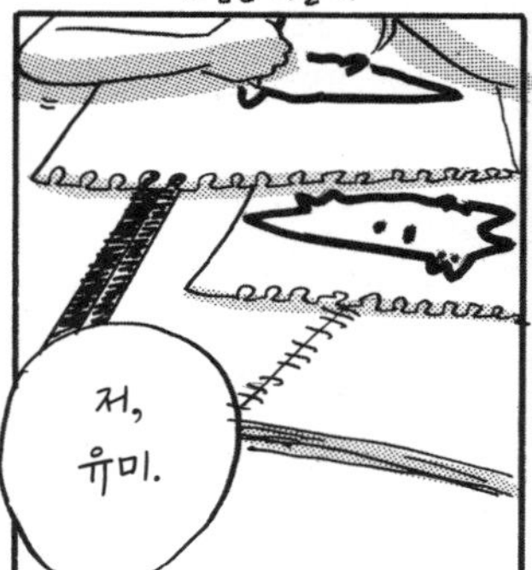
그림은 서툴다.
저, 유미.

사람의 한숨은 타인의 호흡을 버겁게 한다.
……

뭐 갖고 싶은 거 없어?
있으면 내가 사줄게.

갖고 싶은 거…

갖고 싶은 것도 없고 중요한 것도 없어.
없어.
아아, 왜 이러는 걸까. 물욕의 화신인 내가.

아아, 하루오가 곤란해하네.
하지만 정말이다.

안됐으니까 아무거나 말해줘야지.
사과주스 마시고 싶어.

...
OK. 다녀올게.
주스면 돼.
과즙 100% 사과주스 마시고 싶어.

유미가 한숨만 쉬니까
아아, 답답 했어.
집을 나와서 안도하는 나.

푸하

어쩜 좋지?

진짜 민폐라고.
그 집에는 공기가 부족하다.

*일본의 만화가가 비슷한 발음을 이용한 말장난. 일본어로 개미가 아리(蟻), 10이 토(十), '고맙다'가 '아리가토(ありがとう)'다.

*《인간실격》으로 이름을 알린 다자이 오사무는 <앵두>라는 단편을 마무리한 직후 투신 자살했다. '앵두상'은 교코의 가상 설정으로 짐작된다.

해냈다!!
아, 하루오.

이거면 유미도
기뻐해줄까?
하루오~!!
사인해줘
!!
꼭 한턱
내는 거다!!
파아
파파파…
뭐,
사과주스보다는
반갑겠지.

아아, 사람이
왜 이리 많아?
죄다 무사태평한
멍청한 얼굴.

짜증 나.
악어.

그 발작.

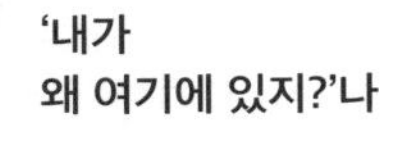

'왜 여기에
서 있지?'같은

생각들이
한번 들기 시작하면
멈춰지지 않는다.

왜?
왜?
왜?

어째서?
어째서?
어째서?

모르겠어,
모르겠어,
모르겠어,
모르겠어.

머릿속이
물음표로
빼곡하게
채워진다.

어쩌지,
어쩌지,
어쩌지,
어쩌지.

무서워,
무서워,
무서워,
무서워.

누가
나를 좀 도와줘요.
제발.

나는 당황해서 허둥지둥했지만
내가 상을 받은 것보다
유미에게 욕망이 생긴 것이
더 기뻤다.

VARIETES
XXXX?
PAUL NISUN

나 이대로는 머리가 텅 비어버릴 거야.
재미라곤 하나도 없고 답답해.
나 이젠 이런 곳 싫어.
훌쩍 훌쩍 훌쩍
머리가 텅 비어도 나는 너를 좋아해.
진짜? 나를 좋아해 줄 거야?
꼬옥
머리가 텅 비어도, 바보라도?
그야 처음부터 알고 있었으니까
응.
기쁘다.
그래도

더워 미치겠는 곳에서 너랑 하고 싶어.
나, 남쪽 섬에 가고 싶어.
진짜?
데려가줄게.
이런 곳은 이제 질렸어.
그러니까 파리든 하와이든 라로통가섬이든 데려가줄게.
거짓말.
그 조각조각 소설이 앵두상에 선정돼서 상금받을 거거든.
진짜지!!
아파아
꼬집

기쁘다
···
기뻐!!
하루오,
사랑해!!
살아 있길
잘했다아.
쿠당탕!!
으악
음
음
음
음
으음
···
헬로.
어?
할짝
할짝
···!!
언제부터!!
음,
아까 말
걸었는데.

하루오의
수상 파티를
하자.
그건 됐고
견학하고
있었어.
둘 다
바빠
보여서
너는
학교
가야지.
나도
가고 싶어―
쳇,
부럽다.
남쪽 섬!!
좋겠다~♬
좋겠다~♬
남쪽 섬에
가고 싶다♬
학교
가기
싫어!!
…
악어,
어떻게
됐을까.
귀찮기만
하고!!

나,
악어한테
미움받고
있던
걸까?

욕구불만이라서
집을
나갔는지도
몰라.
응.

응…
나, 걔를
밖에 내보낸 적이
없으니까

돌아오진
않으려나—

어디
간 걸까.
…

별님한테
소원을
빌었어.

아아
!!
왜 그래,
언니!!

소원은
빌지 않으면
이루어지지
않으니까.
흐음
그럼
나도.
별님, 별님.
부디 우리 소원을
이루어주세요.

다녀
왔어—
택시 타고
롯폰기 쉐리까지
가서 케이크
사 왔어~
샴페인
사 왔어~
아
싸
!!
그럼
하루오의
수상을
축하하며!

흐흐,
고맙습니다.
자자,
마셔요.
도련님.

얄미워라,
이!! 잘생긴!!
여자 킬러!!
헤헤
하루오,
대단해!!
문호!!

컵이 촌스럽지만

귀엽긴 해도
귀찮던 악어는
사라졌고

책은 상을
받았고
수상 뒤의
샴페인은 맛이
남다르다!!
하하,
너도 참.

만사형통
이란 게
이런 건가.
푸핫—

유미가 받아온
할배의 씨앗이
가짜는
아니었나 보다.

유미는 나한테
폭 빠진 걸 보면,
자,
한잔 더.

하지만

알고 보니
그것은
어떤 책에서
읽은 문장이
마음에 걸리는데
생각이 나지
않는다.
나 이렇게
행복해도 되나?
최고!
수제리의
타르트는
최고!

"행복을
두려워하는 자는
행복해지지
못한다."
으응~
라는
문장이었다.

좋아해,
하루오.
사랑해.
나
행복해.
네가
있어서.
나도야,
유미.
으응~

에헤헤. 남쪽 섬에 가려고 쇼핑을 잔뜩 했지.
가방만 사면 돼. 멋있는 거 갖고 싶다.
하루오한테 사달래야지.
행복해♡
크네.
뭐지? 택배 왔나?
응?
아이고야
뭘까?

대단해.
바라면
이루어지는
구나!!
트렁크다!!
그것도
악어가죽!!
게다가
종류도
다양해.
와아~~~!!
…
못됐어♡
얄미운 사람
멋진데,
하루오♡
말도 없이
사주다니♡
응?
편지?
어머나
하루오♡
이런 것까지♡
…
"살아 있는
모습으로는
함께할 수
없지만"
문호의
생각은
가늠하기
어렵네.
뭐야,
이 편지
이상해~
"오랜 세월
신세를 졌지만
사정이 있어"
"여행을 간다니
더할 나위 없군요"
?

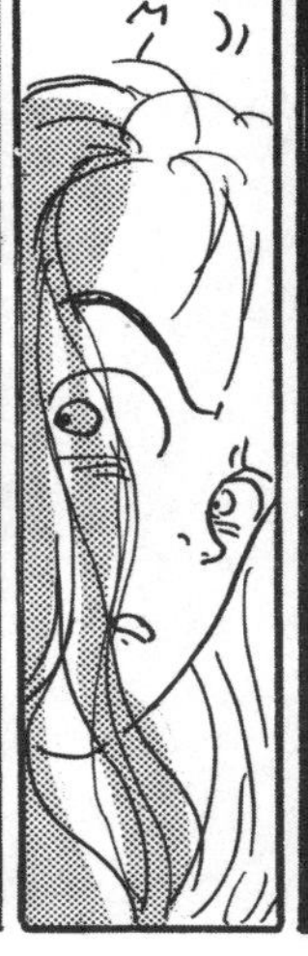

…
"모습을 바꿔
함께하고 싶습니다."

악어?!

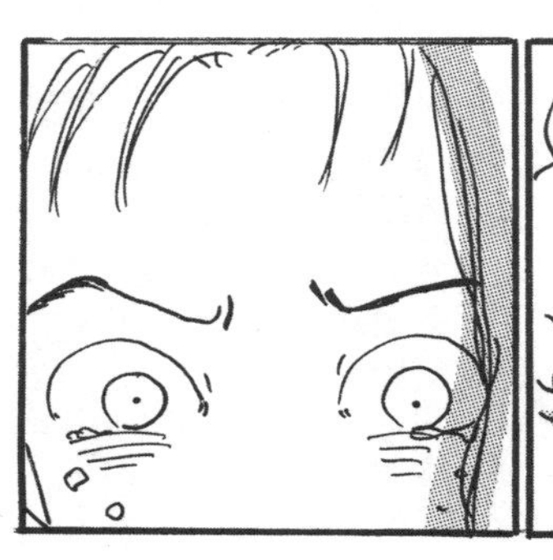

으아아아아아앙

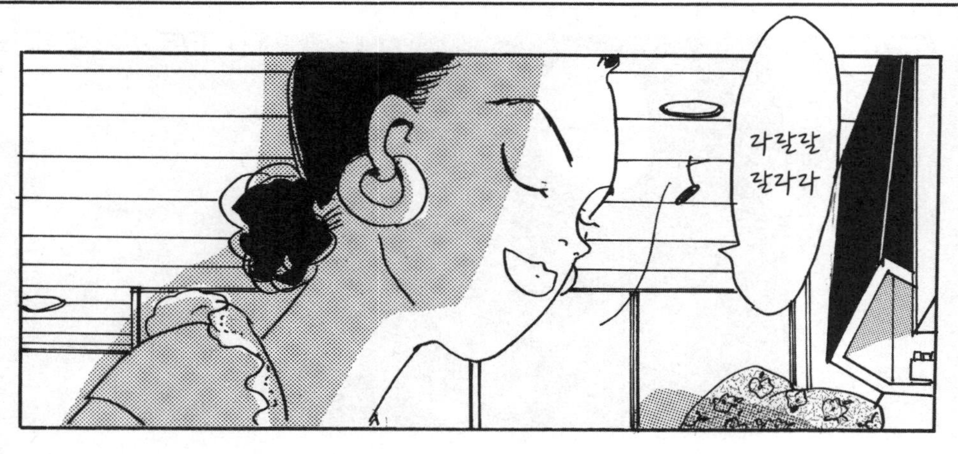

기분 좋아
보이네?
그러니?
기분 탓인가
피부도
반질반질해.
후후후,
그래?
그래도
엄마가
예쁘면 너도
기분 좋지?
뭐어
자, 다 구웠다.
아메리칸체리
타르트!
그런데
이런 건 뭐랄까,

어머?
띵도옹
좋다.
애플파이도
먹고 싶다—
사과 철은
이미
지났으니까.
그림에
그린 듯한
모녀상이네.
쪼르르륵

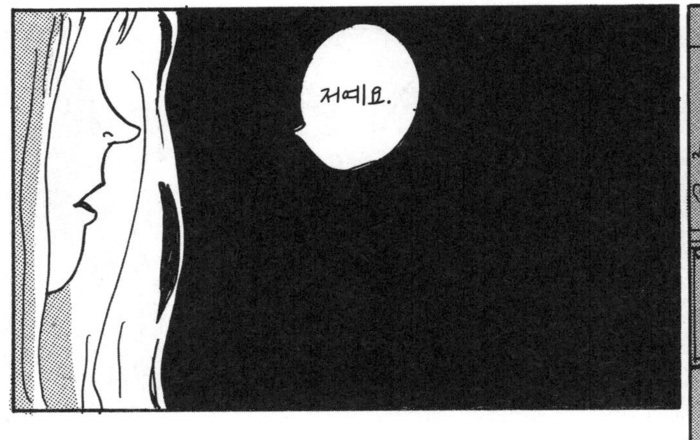
저예요.

누구지?
아빠가?

어머,
유미 양.
웬일이에요?
독립하고
처음이죠?
집에 온 거.
마침
타르트를
막 구웠어.
홍차
할래요?
자,
들어와요!
…
열받게
구네.
뭐가
타르트
야!!
헉
엄마
퍽
!!

뭐가 홍차냐고!
꺄악!!
꺄악!!
고상이나 떨고 말이야!!
당신이지!! 악어를 가방으로 만든 게!!
흑
질질
그만해, 그만해, 그만해!!
그래.
내가 했어.

너야말로 뭐가 잘났니!!
살아 있는 게 갑갑해 보여서, 내가 죽여서 가방으로 만들어줬어!!
이 여자가 ~~~ !!
너 같은 거!! 너 같은 거!! 너 같은 거!!
자기밖에 모르고, 자기만 옳다고 믿다니 소름 끼쳐.
네가 사랑하고 내가 증오하는 그 악어!!
그만해!! 그만해!! 그만해!!
부탁 이야.

언니도
언니 엄마를
아끼잖아?
나한테는
엄마란
말이야.
이해
해줘!!
제발!!
못되고
끔찍한
여자라도
언니,
그만해!!

와장창!!

엄마를 아낀다고?
그래서 뭐 어쩌라고.
뭔데, 뭘 어쩌라는 건데.
응?

벌컥!!

흑
흑
흑
미안, 미안, 미안.
훌쩍

훌쩍

왜 그런 짓을 했어, 엄마?
나도 악어를 좋아했는데.
미안해.
나, 악어도 언니도 엄마도 하루오도 좋아하는데, 이러면 곤란해.
미안하다.
하지만 그럴 수밖에 없었어.
그럴 수밖에.
모르겠어.
그런 거.
아얏
괜찮아?
코 실리콘이 비뚤어졌어.
그런 건 재수술 하면 되잖아.
그렇지.
그래도 다행이다.
엄마가 안 죽어서.

흐윽
눈알을 파내면 좋았을 텐데.
흐윽

젠장, 젠장, 젠장.
그 여자의 가죽을 벗기고
으아아 아앙

아우슈비츠보다 잔인한 짓을 해주면 좋았을 텐데.

하지만 게이코가.
게이코한테 미움받긴 싫어.
훌쩍

악어, 악어, 악어, 악어야.
가방이 됐어도 나는 너를 좋아해.

하지만 미안해, 미안해, 미안해, 미안해.
바둥
으아앙
바둥

그래도

가방이 되었으니
언제 어디서든
같이 있을 수 있겠구나.

살아 있었다면
악어와의외출은
꿈도 꾸지
못했을 텐데
사실은
꼭 하고
싶었지만

그래도 미안해,
미안해,
미안해.

정글이 있는
남쪽 섬에.
그래,
악어 트렁크에
짐을 넣고 남쪽 섬에
가야겠어.
근사해.

좋은데!!
멋있어!!
악어랑 하루오랑
같이 남쪽 섬.
기뻐,
기쁘다,
기쁘다.

쿠울
악어가 불쌍해서
미안했지만
나는 세계 제일의
행운아라고 생각하면서
울다가 잠들었다.
악어에게
미안하다고
사과하는 것은
잊지 않았다.

빨리 내일이 되면 좋겠다.

그러면 나는 악어랑 하루오와 함께 남쪽 섬에.

악어야,
시작할 거야.
눈앞의
일만 생각하기
때문이다.
아,
시간 됐다.
머리가 나쁘기도
하고
목욕보다
맥주가
좋아
흐흐흐흥
미안하지만
나는 생각보다
회복이 빠르다.

요즘 하루오는
TV나 잡지 취재로
바쁘다.
히히히.
하루오
들떴네.
수상
후에
어떠
세요?
그게
~
TO
꺄악—
하루오♡
안녕하세요.
<투나잇 일레븐>
입니다.
오늘 게스트는
얼마 전…

어차피
남쪽 섬에서
살 거니까.
나는 회사를
그만뒀다.
이상해.
브라운관 너머에서
말하는 하루오는
내가 아는
하루오가 아닌 것 같다.
모두가
송별회를
열어주었다.
기뻤다.
응, 뭐.
그래야겠지.
설마 취집은
아니지?
아니야,
설마.
부럽다~
부러워~

얘, 유미.
직장
구할 거야?

아아, 나도
회사 그만두고
어딘가 가고 싶다—
나도—

어디든 좋으니
가고 싶어.

그만둬도 잊으면 안 돼.
전화 꼭 하고.
잘 지내.
응응.
하지만 그 어딘가가 어딘데?
고생했어 ~
어딘가, 어딘가, 어딘가
기쁨의 눈물이 흘렀다.
마지막에 꽃다발을 받았다.
다녀왔어~
푸하
안녕.
꽃은 잘 말려서 포푸리로 만들게.
안녕, 앞으로 만날 일 없을 모두.
아아, 지쳤다. 많이 마셨어—
어서 와~

푸핫
저기, 하루오.
자
물 좀 주라.
크하
나, 오늘 사진 찍혔어.
꺄, 하루오, 왜 그래?
술 취했어?
미안해!! 미안해!! 미안해!! 유미!!
와락!!
내가, 내가, 내가 경박한 상을 받은 탓에.
아니야, 하루오.
어? 뭐 땜에?
나도 몰라—
모르지만 찍혔어.

내일 우리는 비행기 안이야.
응.
뭐 어때. 우리랑은 상관없잖아.
응?

유미, 유미.
응?
음
맞아.
뜨끈한 공기, 짜증 날 정도의 태양, 파파야, 망고, 두리안이 가득할 거야.

…
기내식 나올 텐데.
MUTE BEAT
이히히히
비행기 안에서 먹은 과자 싫어.
그럼 이거 봐라♡
내일 일찍 일어나야 하니까 섹스는 패스.
칫

꺄꺄~ 인기인.
하루링, 연예인 같아.
응, 알았어.
잡지 인터뷰 두 건 끝내고 갈게.
그럼 나는
그럼
퍽큐나 먹으시지!!
응.
좋아해. 사랑해.
이따 봐.
또 봐ㅡ
바이 바이.
이따 보자.

서둘러야 겠다.
아, 실례 좀.
조금 늦은 것 같은데.
OK.
촬영 끝났습니다. 고생하셨어요.
찰칵 찰칵 찰칵!!
《주간 다이아몬드 포스트》입니다. 동거 중인 여성이
뭐야, 저 새끼들. 미쳤나!!
잠깐이면 됩니다!!
죄송합니다!! 바빠서요.
헉
!
매춘부 였다는 게 사실입니까?
언제부터? 어째서? 왜죠?

퍼억!
왜 도망칩니까. 보도의 자유…
닥쳐!! 개자식!! 청바지도 눈에 거슬려!!
저 새끼들 대체 뭐야?
아, 도망친다!! 쫓아!!
좋았어. 특종!! 매춘부와 동거하는 폭력 작가!!
찰칵
구경꾼
아, 카메라맨을 걷어찼어!!
기다려, 유미!!
비행기를 타고 얼른 날아가자!!
빨리 도망쳐야 해!!
뭐야? 뭐야? 뭐야?
놓치지 마!!
앞으로 돌아가!!
저 택시를 잡아타고
저런 놈들이 있는 곳으로부터
이런 곳으로부터

닥쳐, 머저리.
아아, 바보 같아.
꺄악—
사고?
택시랑 트럭이?
죽었어?
파래, 유미.
예쁘다.
하늘이 파래.
아아, 경찰차와 구급차 소리가 들려.
바보 같아, 바보 같다고, 유미.
바보.
아아, 하늘이 파랗다.
나는 이 소리가 좋더라.

아름답지, 유미?

그렇지?

너무 늦어!!
진정해. 하루링은 인기인이잖아.
음~
늦네.
하루오 것까지!!
와구 와구
화나니까 간식 지금 먹을래.
역시 소풍용 간식은 바나나랑 빼빼로야~
초코송이도.
어?
TV에서 뭐 하나 봐.
사건인가? 사고인가?
흐응
알 게 뭐야.
아무래도 좋아, 저런 거.
상관없어.

최고로 행복한
순간이 다가오기를
바라며
나는 넋을 잃고
하루오를 기다리고
있었다.

그래도 악어 가방 안에는
멋진 수영복이 들었고,
오늘 매니큐어도
예쁘게 발랐고,
남쪽 섬의 파란 하늘을
상상하면 두근거려.

fin.

note

이것은 도쿄라는 지루한 거리에서 나고 자라 평범하게 망가지고 만 여자(젤다 피츠제럴드처럼?)의 사랑과 자본주의를 둘러싼 모험과 일상을 그린 이야기입니다.
영화감독 장뤼크 고다르가 "모든 일은 매춘이다."라고 말한 적 있죠. 동감합니다.
옳은 말이에요. 그걸 알고 하는 사람, 모르고 하는 사람, 알면서 모르는 척하는 사람… 기타 등등이 있지만 다시 말하겠습니다. "모든 일은 매춘이다."
그리고 모든 일은 사랑이기도 합니다. 네, 사랑이요.
사랑은 일반적으로 일컬어지는 안락하고 따뜻한 것이 아니에요. 그건 분명합니다.
사랑은 힘겹고 매섭고 두려운 잔혹한 괴물입니다. 자본주의도 마찬가지죠.
하지만 헤엄을 못 치는 아이가 수영장 앞에서 겁을 집어먹듯 그런 것들을 두려워하면 꼴사납겠죠.
두려워하지 않고 훌쩍 다이빙하면 말이죠, 참 신기하게도 헤엄이 쳐집니다.
《물장구 치는 금붕어》의 가오루처럼 자세는 엉망진창일지라도.
오늘날 도쿄에 사는 모두는 평범하게 행복을 느끼며 사는 데 어려움을 느낍니다.
하지만 저는 행복이 두렵지 않아요.
왜냐하면 저는 타고난 도쿄걸이거든요.
마지막으로… 안타깝게도 폐간된 잡지 《NEW 펀치자우루스》에 이 만화를 게재할 때 담당해주신 구리 씨, 고히 씨. 단행본 제작을 맡아준 하라다 씨, 그리고 여동생 게이코에게 고맙다는 인사를 전합니다. 개미가 열 마리.

p.s. 새벽 3시를 넘긴 시각, 저와 어시스턴트가 지쳐서 더는 못 하겠다고 끙끙대고 있을 때, 고히 씨가 "안녕하세요." 하고 등장해서는, 감기에 걸려 열이 나니까 약을 달라며 이불을 깔고 자더니 심지어 "바나나 케이크 없어요? 좀 줘요. 환자니까."라고 말하던 그날을 잊지 못합니다. 어떻게 그럴 수 있냐고요, 대체.
그 시간에.
그리고 이 이야기의 소재를 제공해준 여동생 게이코(본인은 모르겠지만). 게이코는 현역으로 활발하게 일하는 회사원으로 제가 어떤 일을 하는지엔 관심이 없고, 저 역시 동생의 생활상이나 취향 등에 전혀 흥미가 없지만 우리는 사이가 좋습니다. 게이코는 노느라 얼마나 지쳤든 간에 매니큐어만큼은 빠짐없이 챙깁니다.
반짝반짝 빛나는 손톱은 언제 봐도 참 아름답더라고요.

1989년 9월
오카자키 교코

PINK

1판 1쇄 펴냄 2019년 11월 15일 / 1판 2쇄 펴냄 2023년 1월 15일

글/그림	오카자키 교코	펴낸이	김태웅
번 역	이소담	펴낸곳	goat
편 집	김미래	출판등록	2016. 6. 1. 제2018-000235호
디자인	스팍스에디션	주 소	서울시 마포구 백범로48 2F SPINE

ISBN 979-11-89519-11-7 07830

goat는 종이를 별미로 삼는 염소가 차마 삼키지 못한 마지막 한 권의 책을 소개하는 마음으로,
알려지지 않은 책, 알려질 가치가 있는 책을 선별하여 펴냅니다.

jjokkpress.com

jjokkpress, spineseoul